ベスト・エッセイ

THE
BEST ESSAY
2023

日本文藝家協会編

光村図書

ベスト・エッセイ　２０２３

目次

◆編纂委員作品

装幀　Boogie Design
表紙　aka

本書収録の作品は全て2022年に発表されたものです。

ベスト・エッセイ　2023

あの素晴らしい愛

きたやまおさむ

日本人の人間関係の日本人らしいところを求めて、興味を持ったのが芸術家による観察と記録である。それで数十年前、約2万枚近くの浮世絵を調べて、その中から約450組の母子像を取り出したが、そこには同じ対象を共に眺める母子が頻繁に登場することがわかった。

ひとつの対象を共に眺める二人は、対象を共に眺めてこれについて語り合いながらも、「抱え、抱えられて」通じ合っているようだ。それが精神的な「和」や身体的な「つながり」となって、人と人を結びつけていると私は考えた。

見る方向を「右にならえ」という形で二人が共有しながら横に並ぶこと、これが私たちの「同調」の起源であり、「横並びの愛」の発生現場だと考える。

「美しいもの」を共有しながら愛《め》でるのは親子だけでなく、恋人や友人同士でも多い。

雪見、お花見、花火、紅葉狩りと、私たちは昔から同じものを一緒に眺めて心を通わせ、この愛を育んできたのだ。漱石のものだとされるが、アイラブユーを、見つめ合うのではなく「月が綺麗《きれい》だね」と言うとする説は、私たちの愛の深層心理を鋭く突いている。

だが、この家族的な愛が取り返しのつかない形で壊れ、「つながり」が突然切れるなら、目も当てられない惨状が展開するだろう。こうして「みんな」からハブられる恐怖や、向かい合ってもらえない不安、そして同調圧力が生まれる。だから、同じ花を見て美しいと言った二人の心が、今はもう通わないという悲劇が繰り返されることになる。

その普遍性のおかげで、加藤和彦と私が作った「あの素晴《すば》しい愛をもう一度」という歌がヒットしたようだ。しかしながら、同じステージに私と並び立って、この愛を歌っていた加藤和彦は自死した。今でも皆様から、精神科医の私が傍《そば》にいながら、どうしてこれを止められなかったのかと問われる。

私は、彼の「死にたい」という気持ちを聞くことができていなかった。やはり、面白いことや楽しいことを目指した共演、つまり調子を合わせて歌う関係ではそういう話にはならなかった。主治医であった別の医師も、潔く去っていこうとする自死の計画を聞けていなかったようだ。

この「心と心が通わなくなっている」ことを自覚していたなら、医師としてはひとまず彼を入院させていただろう。すぐさま病棟に拘束することになったかもしれない。しかし、それでは彼の美意識や自由を求める心を傷つけることになり、そこでは「お前なんか大嫌いだ」という対決や対立が生まれただろう。

主に音楽で通じ合った私たちは、対峙《たいじ》してそういう怒りや傷つきの伴う関係になることを回避していた。ぶつかり合いになったらば音楽どころではなくなり、事態は想像を絶するような修羅場と化したと思う。しかし、その戦いを超えて互いが生きのびることができていれば、彼は今日も生きて、付き合いは続いていたかもしれないと思うと悔やまれる。

あの歌は彼との関係を歌っていたというわけだ。どっちにしても、自死した者との「あの素晴しい愛」の再生は絶対にない。

きたやま・おさむ（精神科医・作詞家）「朝日新聞be」一月十五日

粉モノ・ダイバーシティ

三崎亜記

多様性の時代…らしい。「ダイバーシティ」とも言われるこの言葉、簡単なようで難しく、なんとも奥が深い。「多様性」とは何かについて、日本人の誰しもにとって身近な、「粉モノ」の視点から考えてみようと思う。

まずは福岡では「回転焼き」の名前でおなじみの、小麦粉の皮であんこを包んだ丸い形のお菓子。実は、まったく同じお菓子が、関西では「御座候」、関東では「大判焼き」や「今川焼き」、そして北海道では「おやき」と、実にさまざまな違った名前で呼ばれている。まさに、「多様性の時代」にふさわしい粉モノ……かに思える。だが、呼称は確かに「多様」ではあるが、地域ごとにきちんとすみ分けがされた状態で完結しており、トリビア的に語られはするものの、名前の「多様さ」から生み出される化学反応は何もない。

「回転焼き」とは正反対の様相を呈するのが、「お好み焼き」だ。こちらは逆に、同じ「お好み焼き」という呼称の元で、大阪と広島が、まったく違う形の粉モノを提供する。「お好み焼き」の名前を巡っての大阪と広島の血で血を洗う（？）争いは、誰もが知るところだ。「広島風」「大阪風」と表現することで妥協点を探る動きすらも忌み嫌われ、自らの正当性を互いに主張しあう……。「多様性」とはまるで正反対の状態のようにも思えるが、逆に考えれば、同じ名前で二つが並び立つからこそ、互いに切磋琢磨《せっさたくま》しあい、イノベーションが生まれるのだ。もし、お好み焼きが大阪か広島だけのローカルフードだったなら、今の全国区での隆盛はなかっただろう。「多様性」は、「インクルージョン（包括）」と共に語られる。違いを受け入れ、生かしあうことで、それぞれが実力を発揮する社会を指す。多様性を知るには、まずはお好み焼きを食すことだ。

そして、多様性の究極の形は、お祭りの屋台の粉モノにある。例えば外国人観光客が、お祭りの屋台を訪れたとしよう。まずは「たい焼き」の屋台の前で、「なるほど、日本で『魚介類の名前＋焼き』というものは、魚介類の姿を模した小麦粉の皮であんこを包んだものだな」とインプットするはずだ。

ところが、すぐ隣の「たこ焼き」の屋台では、タコとは似ても似つかない小麦粉の丸い団子に、タコの切り身が入った粉モノが売られているのだ。どうしたことかと理解が追いつかないまま、隣の「イカ焼き」の屋台の前に立つと、そこにはもはや粉モノですらない、本物のイカの姿焼きが並んでいる。

すっかり混乱した外国人観光客も、たい焼き、タコ焼き、イカ焼きを手にして頬張れば、それぞれの違うテイストのおいしさに、舌鼓を打つことだろう。名付けの由来も味付けも見た目もさまざまな「〇〇焼き」たちがバラエティー豊かに並んで味を競いあうからこそ、祭りは盛り上がり、人々の笑顔の輪が広がるのだ。

一人一人の持つ多種多様なバックグラウンドの「違い」を認めあい、尊重しあう……。それこそが「多様性＝ダイバーシティ」の本質である。粉モノ「〇〇焼き」たちが、それぞれに違った魅力を発揮しあうお祭りの屋台は、まさに「粉モノ・ダイバーシティ」だ。2年間自粛続きだった夏祭りも、今年はようやく復活の兆しだ。この夏は、屋台で粉モノを楽しみつつ、「多様性」について考えてみてはいかがだろうか？


みさき・あき（小説家）「西日本新聞」七月五日

メタ・メタバース

上田岳弘

昔々のことだった。と、新型コロナが流行《はや》り出す前のことを語るなら、そんな風に語りだしたくなる。けれど、数えてみればまだ3年も経《た》っていない。

一時ほどの緊張感はなくなりつつあるけれど、新型コロナ蔓延《まんえん》以前と比べるとやはり日々の過ごし方は違っている。大人数での食事か宴会は目的が明確でないと開きづらいし、開くとしたって規模を縮小したり、立食だったものが着席形式に変更されていたりする。

昔々、といっても3年ほど前までのこと、僕はよく目的のない飲み会を開いていた。日にちを決めて、だいたいの人数を決めて、定員を満たすまで声をかけ続ける。結果としては、例えば、作家や、僕が作家業と兼業している仕事で知り合った人、僕の従兄《いとこ》、ジャーナリスト、などなどが集まる雑多な集団での宴会が出来上がる。知らない人同士も多い会だから、最初は多少ぎくしゃくするけれど、1時間もすればそれぞれが話し出す。

お互いバックボーンを共有していないからこそ、気軽に話せることだってある。旧交を温めるというのでもないし、何かをお祝いするのでもない。異業種交流というわけでもない。その都度、ふんわりとした動機付けのようなものを付与することもあったけれど、僕にとってそれはあくまで名目にすぎなかった。何も生み出さなくとも、別段それで構わない。目的などそもそもないのだから。ただ、確実に雑多な人達の息吹というか雰囲気というか、生なものが脳裏に刻まれていて、小説を書く段になるとふっと蘇《よみがえ》り筆が進むことはあるけれど。

新型コロナが蔓延してからしばらくは、食事会や宴会の自粛が叫ばれた。緩和されつつあるとはいえ、今でも立派な目的がないと大規模に集まろうとはなかなかならない。まして、目的がないものは憚《はばか》られる。

この間、大きく需要を伸ばしたのは、Ｎｅｔｆｌｉｘなどの動画配信サービスだった。それから、オンラインで集まることのできるゲームも売り上げを伸ばしたらしい。オンライン活用の未来として、メタバースにも期待が集まった。

メタバースの語源は「スノウ・クラッシュ」という小説に登場した仮想空間からきて

いるそうで、「超越した」という意味を持つメタと、「宇宙」を意味するユニバースとを組み合わせた造語だ。つまり、現実空間を超越した仮想空間。メタバースの中では、人が空を飛ぶこともできるし、瞬間移動することもできる。けれどそれは所詮データの集積に過ぎない。だとしたら、ゲームと何が違うのか?

メタバースという概念が希求するところは、データの集積である仮想空間と現実味とを結びつけることにある。ゲーム業界はゲーム業界で、より良質なエンターテイメントを提供するために、VRヘッドセットであったり、モーションキャプチャーであったり、様々な技術でデータの集積と現実味とを結びつけんとする向きもある。既にゲームでメタバースはある程度達成されているという意見もあるし、それはある程度正しいと僕も思う。

決定的に違うのは、ゲームはエンターテイメント以外の、他の生活にまつわる現実の限界を超えたメリットを、仮想空間に見出《みいだ》すことを一義的には目的としていないことだ。一方、ビジネスの打ち合わせや、PTA活動、買い物、里帰り、現実生活には実に細々とやり過ごせないものが存在し、そのそれぞれに最適化されたフォーマットで、参加する人々が現実味を持って繫《つな》がって、むしろ実際に会うよりいいな、と感じるような仮想空間の構築を目指すのがメタバースの本旨だろう。場所の制約も受けないし、直接会うわけではないのだから、厄介な感染症を気にする必要もなくなる。

30年前のSF小説に書かれているものが語源なくらいだし、これまで何度となくフィクションの対象になってきたものが、なぜ近頃《ちかごろ》になって騒がれているのかといえば、その実現がそう遠くない未来だと大衆がなんとなく感じているからかもしれない。

実際、それが叶《かな》えばとても便利だろうなと思う。スマホもPCも、発光ダイオード（LED）も飛行機も、インターネットも、なんだってそうだけど、新しいものが出来上がれば、当初は拒否感があっても、その利便性が芯をついたものであればなんだかんだいっても普及していく。それがなかった時代のことを思い出せなくなる。

きっとそんな世界になった時こそ、僕は強烈に昔やったような飲み会を開きたくなる気がする。

目的のない飲み会、ではなくて、現実にしかないものが何であるかを確かめたくなって。たかだか3年前の、昔々のことがひどく懐かしく感じる。

うえだ・たかひろ（作家）　「日本経済新聞」十一月二十七日

藤子不二雄Ⓐさんを悼む

鈴木伸一

安孫子素雄（藤子不二雄Ⓐ）氏逝去のニュースほど驚き、悲しい思いをしたことはなかった。それは亡くなる五日前とその翌日、彼と電話で話をしたばかりだったからだった。今でも目をつむると、その時、電話で交わした彼の声が耳に残っていて悲しい。

安孫子氏と藤本弘（藤子・F・不二雄）氏は、富山から漫画家を目指して二人で上京し、まず借りた部屋は二畳一間だった。

昼間、原稿を描くときは一つの机に向き合って描き、夜寝る時は机を廊下に出して布団を敷き、その上に並んでお互い反対方向に向かって寝ていたということだった。

当時、トキワ荘の四畳半にいらした手塚治虫先生がそれを聞いて「僕はこの部屋で仕事するには狭いので、もう少し広い部屋に移ることにしました。ここの敷金はそのままにしておくからこの部屋を使ってください」と言われ、安孫子氏と藤本氏はその部屋に移り、しばらくはありがたく使わせていただき、やがて隣の部屋が空いて、お母さんが上京された藤本氏が移り、私がトキワ荘に入った時はもうそれぞれ分かれて住むようになっていた。

安孫子氏の部屋に行くと、そこには手塚先生がお使いになっていたという赤いテーブルがあり、それは二人のために置いて行かれたのだそうで、私はこのテーブルの上で、手塚先生の名作「ジャングル大帝」が生まれていたのかと思うとそのテーブルがとても神々しく見えたし、また、その師弟関係を羨ましく思ったものだった。上京後は安孫子氏と藤本氏は別々に漫画を描くことが多くなったようだ。

二人がトキワ荘に入居後、寺田ヒロオ氏と藤子氏（二人）を中心に、「漫画少年」の寄稿家、投稿家で「新漫画党」というグループができ活動していた。最終的なメンバーは寺田氏・安孫子氏・藤本氏・角田（つのだじろう）氏・石森章太郎氏・赤塚不二夫氏・園山俊二氏・森安なおや氏・鈴木だった。

この中で私だけ漫画歴がないのは、ディズニー・アニメに憧れていた私に、当時アニメの仕事を始めていた漫画界の大先輩・横山隆一先生を紹介してくださった方がいて、私は絵を動かす面白さに取りつかれ、アニメ作画に熱中していたのが原因だ。

新漫画党が月に1回「会合」と称してやる集会には必ず出ていた。集会はいつもお茶とお菓子で映画、漫画、音楽、書籍、世相、近況などの雑談会だったけれど、安孫子氏と藤本氏はとてもいたずら好きで、二人がお茶菓子を用意した時の事、銀座の有名なおもちゃ屋さんから買ってきた「ピーナッツ」（蝋《ろう》でできた偽物）をお菓子として出し、それを口に入れて噛《か》んだ人たちが台所へ駆け込んで、ゲーゲーとなったことがあった。

また、座るとおならの音がするプープークッションでやられたり、クマンバチの模型を服の肩に止まらせて騒ぎになったりしたこともあった。この騒ぎの首謀者は、いたずら大好きの藤本氏のアイデアにのった二人だった。

安孫子氏のブラックユーモアは、同僚であった藤本氏の漫画の人気が高かった事に由来していると彼自身が語っているけれど、私は上京前に新聞社に勤めていたことも何か関係があるのでは？と思っていた。

新聞社というのは勤めている部が異なっていても出来事や事件は耳に入るだろうし、それは人の心の歪《ゆが》みに原因があり、これを漫画的に誇張して表現し、描いたら面白くなるのでは……と思ったのではないだろうか。

藤本氏が手塚先生を師と仰いで人類の歴史・SFなどからも材料を得ていたのに比べ、安孫子氏は現実世界にヒントを得ていた……。二人合わせて、手塚先生が世界の漫画界を一変させた日本の「ストーリー漫画」をより一層広げた藤子不二雄の二人は本当にスゴイ人たちだったんだなという思いと、最後まで親しく付き合ってくださった事に感謝したい。

すずき・しんいち（アニメーション作家）「毎日新聞」四月二十七日・夕刊

繰り返す

平松洋子

おとといの夜、赤ワインに添えたチーズ三切れに、文旦のジャムをのせた。柑橘のジャムの変化に富む舌触りが、乾きかけのコンテを救っていた。

今朝、新聞を読みながら煎茶を飲んでいるとき、小さな饅頭など欲しかったが買い置きがない。そこで文旦のジャムの瓶からスプーン一杯すくって舐め、甘いもの欲をなだめた。明日はたぶん朝のヨーグルトに入れるだろう。もし、首尾よくパン屋に寄って食パンが買えていたら、バタートーストにたっぷり塗りたい。

同じジャムを食べている。飽きる飽きないの話ではなく、文旦の季節に一年分つくって保存しているので、ひと瓶空いたら自動的に出番待ちの瓶に進む。

こんなふうにジャムが数珠繋ぎになって六年ほど経つ。最初のきっかけは、長年二月になるたび高知から取り寄せている文旦の皮を無駄にしてきたなんてバカだった、ジャムに生かし忘れていた、と猛省したからだった。剥いたあとの厚い皮を横目で見ながら（もったいないな）とは思っていました。でも、つい見て見ぬふりをしてきた。台所仕事を増やしたくなくて、予防線を張っていたのである。

その気になったのは、ただの風の吹き回し。たまたま週末にぽっかり時間ができた程度の軽い流れだったと思うのだが、不意にパズルのピースがカチャリと嵌まり、腰を上げることになった。

初めての文旦ジャムは失敗した。

二個分の皮を薄切り（びっくりするほど大量になる）にして水に浸け、ときどき水を替えながらあく抜きをするのだが、「ひと晩かけましょう」とものの本に書いてあったのに、勝手に半日分短縮した。「熱湯で三度ゆでこぼしましょう」とも書いてあったけれど、ま、一度でいいんじゃないの？　とタカを括った。あらためて振り返ってみると、文旦をなめていた。恥ずかしい。

プラムやネクタリンのジャムはよくつくるから、ホーロー鍋で煮る要領はわかっており、とろりと煮上がった鍋のなかの見栄えはそう悪くはなかった。ところが、ひとくち味見をして呆然。えぐい。ほろ苦さとはまったく違う鈍重な刺激が嫌ァな感じ。舌触りももっさりとして、皮の切り方も厚過ぎる。惨敗。

大事な二個を無駄にした後味の悪さは、いまも忘れない。くやしいというより情けなく、迂闊な自分を責めた。挽回したかったけれど、もう残りはなかった。

次の二月がやって来た。

怯まなかったと言えば嘘になるけれど、ずっしり重いまんまるの高知の黄色い太陽を二個しみじみと眺め、私は唇を噛みながら、決意した。去年の汚点を乗り越えなければ。

こうして、毎年二月が巡ってくるたび、文旦の皮を刻むのが習慣になった。皮に包丁を入れる幅はずいぶん細くなり、たっぷりの水に晒し、定期的に水を替え、ひと晩置く。熱湯でゆでこぼすときは、三度ともザルに空け、そのたび団扇で扇いで粗熱を取り、手で搾る……必ず手順を踏んで進む。取り出した実はざっくりほぐし、種はとろみをつけるペクチンの素だから、大事に集めて鍋のなかへ——ひとつずつ挙げれば、やれやれ煩雑だなと尻込みされるだろう。

でも。

二度、三度、四度、五度、六度。毎年繰り返すうち、これは文旦と私との約束だと思うようになった。皮と実一キロに対して、砂糖四百グラム。強めの中火で三十分。瓶は八個。取り交わした約束を繰り返していたら、自分の味が決まっていた。

ひらまつ・ようこ（エッセイスト）「dancyu」6月号

工藝家の夢

赤木明登

あるひとつの感覚について、これからぼくは語ろうとしている。いまここにいる、すべての人に、その感覚を伝えたいと思うが、それがなかなか困難だということも、もちろん知っている。それでも、語りはじめなければならない。それは「真実の世界は、いまぼくたちが経験している世界を超えているのではないか」という感覚である。現実に、ぼくたちは世界の中にいて、この世界を経験しているけれど、だがしかし、ぼくたちが知っているのは、ほんとうの世界のすべてではない。この世界に全体があるとしたら、そのほんの一部分を見たり、聞いたり、触ったり、味わったりして、それが世界だと思い込んでいるだけなんじゃないか。ぼくたちが、いると思い込んでいる世界は、ほんとうの世界よりも、ずいぶんと小さい。

ぼくは、塗師《ぬし》として「漆」という素材を触り続けることによって、そのことに気がついた。もう何十年も、漆を触る仕事をしているので、ときどき「漆のことならなんでも知っているよね」とか、言われることがある。実際は真逆で、漆を触れば触るほど、漆のことがわからなくなるのである。

例えば「漆黒」と言われる黒を、漆の中に探す。その黒の中に「白い黒」を、ぼくは見つける。言葉では矛盾しているが、そういう色がたしかにある。その白い黒を生み出している漆の膜は、一ミリの十分の一あるかどうかであるにもかかわらず、表面を覗き込むと、深い湖のような奥行が見える。その奥行は、この膜の厚さのどこにあるのだろうか。そういうことを「工藝」に実現させるために、天然の素材に翻弄されながらも、寄り添っていくのがぼくの仕事である。

漆全体というものがあるとしたら、ぼくが知っていることは、おそらくその表面のほんの一部分だけで、その向こう側に、得体の知れない巨大な黒山のような、不可知にして魅惑的な塊が潜んでいるのを感じとっている。そこは、漆というものをずっと探求していて、漆の世界の果てまで辿り着いて、ようやく微かに垣間見ることのできる世界である。耳をすませば、わずかに震えるような振動が聞こえてくる。だが、そこで見たもの、聞いたものを、ぼくたちは言葉にすることはできない。言葉にはならないけれど、ぼくたちは、その何かを具体的な形と色に置き換えることならばできる。それこそが「工藝」

という営みである。

この感覚に気がついたのは、もちろんぼくが最初ではない。三百年前のドイツに生まれた哲学者、イマヌエル・カントだ。カントは、いまぼくたちが経験している世界を島に喩《たと》えて、島をとり囲む大海こそ「叡智」だと言った。そして人間は「叡智の海」にこそ船を漕ぎ出し、旅に出るのだと。

ぼくにとって、その海は「感動の海」である。魂を揺さぶるものが、そこにはあるのだ。ぼくは、いまたしかにここにいるが、ここにいながらこの世界の果てへ、そして世界の内奥の深いところへと降りていく。そういう旅の仕方もあるのだ。まぁこの感覚、工藝家が見がちな、ロマンチックな夢のひとつかもしれないけれどね。


あかぎ・あきと（塗師）「ひととき」6月号

日記帳 隙間だらけ上等

黒井千次

今年もまた、来年の、つまり二〇二三年用の日記帳を買い求めてしまった。

日記帳といっても、様々な工夫がこらされて、便利なのか不便なのかの判断に苦しむような、黒表紙の高価な日記帳などのことではない。きわめてシンプルな、文庫本形式の一冊四〇〇円の代物なのではあるけれど——。

一日一ページが一年分束ねられているだけの日記帳で、ある出版社から刊行された時大きさと厚さとが文庫本と全く同じであることに興味を覚え、なんとなく買い求め、使うとも、使わぬとも決めぬうちに月日だけはどんどん過ぎた。罫《けい》なども一切なく、記入は縦横自由で、日付と曜日だけがページの右端に縦に一行小さく示されている。さあどうにでも使ってくれ、というかのような罫のない白地の無表情に惹《ひ》かれ、それをつい買い求めたのは、こちらが七十代にかかってからだったか。毎年買い求めたわけではないし、日を追って熱心に何事かを記して来たわけでもないのだが、テラテラ光る表紙のカバーを外してしまうと、ただの文庫本が並んでいるだけの眺めとなるのが面白かった。

記入は全くの気分次第なので、どの年の記録も隙間だらけのページが続き、日記とは呼び難いようなものが出現するのだが、それが無表情な文庫本の表紙になんとなくふさわしいような気がしてくる。調べてみると、文庫本の顔をして本棚の隅に並んでいるのは六冊ばかりであり、日付は七十代の終り頃からである。特別の事情があったわけではないのだろうが、全くの白紙の方が多いような日記帳の群の中にあっては、それも残念でも珍しいことでもなく、この日記帳にとっては自然とも、当然とも言えるような扱いだったと思われる。それには少しばかりの説明が必要である。

ある時、若い男を主人公とする小説を書いていて、ふと自分の若い頃の日記が参考になるかもしれぬ、と思いつき、古い小型トランクを押入れの奥から引き出して、自分の二十歳前後の日記を読み返してみることを思いついた。

主として大学生時代の自分が記した日記帳は数冊しまわれていたが、そのページを開いて驚いた。そこに記されていたのが、出来事や行為であるというより、ほとんど感情的、主観的な言葉の怒濤《どとう》の如《ごと》き流れであり、なんとも鼻持ちならぬ、自分本位の叙述の塊であり、傲慢《ごうまん》であり、感傷的であり、思わずそのノートを閉じざるを得ぬ気にさせられる体の全く自己本位の言葉の塊であったからだった。居たたまれぬほど恥かしかった。こんなに俺はだらしがなく、勇気も忍耐力もない青年であったのか——。

そして、ふと気がついた。こんなにみっともない自分を晒《さら》してしまうのは、自分が思うまま、感じるままを文章に綴《つづ》り、日記などつけたからではないか。

悪いのは日記だ。日記という言葉の器だ。もしそれがなかったら、自分の恥に形を与え、それを他人に見られる心配などしないでもよかったろう。

——悪いのは日記帳だ。日記帳には、自分の思ったまま感じたままを率直に記さなければならない。この鉄則は変えられない。としたら、とりあえずは日記を記すことを止めなければならぬ。その前に人間自身を変えねばならぬのだろうが、これは一生の難事業だから、簡単にはいかない。

とりあえず、日記はつけぬほうがよい。だから、日記帳を買うとしたら、おかしな形のものの方がよい。年末教訓。

くろい・せんじ（作家）「讀賣新聞」十二月二十三日・夕刊

気分はビヨンセ

石田夏穂

ワイヤレス・イヤホンが巷に普及してからすかしっぺが増えた。正確に言うと本人はすかした気になっているが、実際は可聴範囲の擦れ違いの屁が増えたように思う。このまえ歩いているとき恐ろしいことがあり、それは、私がワイヤレス・イヤホンで音楽を聴きながら屁をすかすことを思い立ち、とちゅう耳が痒くなってイヤホンを外したら、思いの外すかせていなかった。ぎりぎり「膝関節が鳴っている音です」で弁解できなくもない木琴じみた音だったが、イヤホンをしていなかったら流石に発信元として気づき、直ちに止めていた類だ。自覚したのはその時が初めてだったが同じことは過去に幾度となくあったに違いない。あー。今まで一体何人の人に（この人、何て堂々と……）と思われたんだろう。

職場では依然として有線のイヤホンを使用している。と言うのも会社支給のPCが有線しか受けつけないからだ（と、思っているのはもしかしたら私だけで、巧妙にセッティングすればワイヤレスでもいけるのかもしれなかった）。コロナ禍でイヤホンの登場頻度は飛躍的に増し、今や出社でも在宅でもイヤホンの登場頻度はさほど変わらない気がする。会議の参加者のうち九人が出社しても一人が在宅なら必然的に会議はリモートになる。ならば九人は一つの会議室に集合し、そこから一人のPCがリモート会議に接続すればイヤホンにお出まし願うまでもなく会議は実現するかに思えるが、実際は違った。まず一つのPCがスピーカー兼マイクの役割を担うと絶対に誰かの声が聞きづらい。同時に在宅の一人の声もなかなか全員に届かない。何より会議では大いに画面共有するからやはり各々のPCが会議に参じていないと都合が悪いわけだ。ところが同じ場所にいながら複数のPCが同じリモート会議に参加すると、あれだ「ハウリング」が発生し、突如として会議室がカラオケボックスのようになる。そういう時は「おい、Aさん以外はマイクをミュート、かつスピーカーをオフにしろっ」と、いつにない具体的、かつ迅速な指示が飛び、はたとハウリングは立ち消える。のだが、こうした一連が面倒で、結局は同じ会議室にいても各々がイヤホンになりがちである。それ以前に九人は自席から離れるのがかったるかったりする。というか誰も会議室を予約していない。さらには出社三人、在宅七人の形勢だったら三人の集うモチベーションは一層うすれる。結果、出社しても自席でイヤホンの時間がけっこう長い気がするのだが、まあこれも感染対策の一環であった。

リモート会議に限らず有線イヤホンは大活躍である。以前は業務中にイヤホンしようものなら「音楽聴きながら仕事するなっ」と、鉄拳レベルの制裁を喰らったものだが昨今はイヤホンすると「あ、あいつ忙しい……」となる。なるほど、イヤホン着装の上でジッとデスクトップを見詰めれば、いかにも取り込み中で話し掛けづらい。そうする必要がない時でも私はイヤホンをするようになった。伊達眼鏡ならぬ伊達イヤホンだが、こうすると公然と「お取り込み中」になり、誰もが時として必要とする「すまないが、今は話し掛けないでくれ」オーラを効果的に発動することができる。日増しに真剣な表情だけが上手くなる。今日も伊達イヤホンする不良従業員は私だけじゃないだろう。

コロナ禍で塞がれたのは耳というより口のほうだった。あるとき歩いていたら、擦れ違った人のマスクがモゴモゴ動いていることに気づいた。一目で物を咀嚼しているのではなく歌っているのだと知れた。とうぜん口パクだったがいい大人が白昼堂々、心なしか足取りも軽やかに。あー、私もしばしばやるわ、このミュージック・ビデオごっこ。マスク故にこの遊びに興じやすい環境が生まれたのだと思われる。その人の耳もワイヤレス・イヤホンで塞がれていたが、これで目も、ならば、見ざる言わざる聞かざる。不自由にあって時に自由が顔を出すのはどうやら本当だ。場所を問わぬ放屁もオーラの操作もMVごっこも塞がれた時に発揮される思い通りがある。しかし、このささやかなフリーダムのために私はいよいよ恥ずかしい人間になるようだ。ノリノリの中年を遣り過ごすと私も速攻MVごっこを始める。

いしだ・かほ（作家）「文學界」3月号

ただそれだけで

沢木耕太郎

この冬、東北のある都市を訪れた。

小さな勉強会で話をする約束をしていたが、何度か延期になり、状況が落ち着いたその時期にようやく行くことができたのだ。

午前に東京を発てば午後のその会には間に合うはずだったが、久しぶりにささやかな旅をする気分を味わいたくて、前日からその都市に赴くことにした。

夜、駅前にあるビジネスホテルにチェックインすると、居酒屋を探して繁華街をぶらついた。

土曜の夜ということもあったせいか、あまり人通りがない。

幾筋か通りを歩き、探したが、これはと思える店が見つからない。

そのとき、通りの角に立っている黒っぽい服を着た若い男性に声を掛けられた。

「キャバクラをお探しですか？」

実は、それを待っていたようなところがなくもなかったのだ。

「いや、今夜キャバクラはいいんだけど、この近くにおいしい酒と肴《さかな》にありつける店はないかな」

私が訊《き》き返すと、最初はちょっとびっくりしたようだったが、次の瞬間には真剣に考えるような様子を見せ、男性がこう言った。

「ここの次の角を曲がると、左側の建物に階段があって、その二階に居酒屋風の店がありますす」

「階段を上るの？」

「ええ、ちょっとわかりにくいんですけど、お客さんには、そこがいいんじゃないでしょうか。日本酒が揃《そろ》ってます」

「ありがとう、行ってみるよ」

「お気をつけて」

自分の仕事とは関係ないのに、実に気持のよい対応をしてくれる客引きだった。

そして私はと言えば、彼の言葉を信じてその店に続く階段を上っていくと、閉店の間際まで、おいしい料理を食べ、珍しい酒を飲ませてもらえるという、至福の時間を過ごすことができたのだ。

その店の御主人とはカウンター越しにさまざまな話をしたが、中でも強く印象に残ったことがひとつあった。

「ここにこんな店があるなんて、旅行者にはわかりにくいから、地元の人じゃないと来るのは難しいでしょうね」

私が少々失礼なことを口走ると、御主人に軽くこう言われてしまった。

「それが、最近の若い方は、食べログか何かのランキングでここを見つけて、グーグルマップに案内されていらっしゃるので問題ないんです」

どうやら、ネット上のグルメサイトではランキングの一位、二位を争う名店であるらしい。

だが、私は、それを聞いて、もったいないな、と思った。

せっかく旅に出て、グルメサイトのランキングに従って食事どころを決めるというのはもったいなさすぎる。

確かに、グルメサイトで調べた人と、キャバクラの客引きの男性の言葉を信じた私と、最終的には同じ店に入ったことになる。だが、もし私がグルメサイトで調べて訪ねていたら、その夜の幸福感はそこまで深くなかったような気がするのだ。

知らない街を歩きまわり、自分の直観や経験を総動員し、時には偶然の出会いなどに助けられて一軒の店を発見する。そうした私の旅の仕方では失敗することも少なくない。だが一方で、思いもよらない成功が待っていてくれたりもする。

私がもったいないと思うのは、意外な成功体験を味わえるかもしれない機会を逸するから、というだけではない。

旅においても、他の多くのことのようにネットで調べてから行動を起こすというのは、失敗することを過剰に恐れる現代の若者の傾向に見合っているように思える。

人生において、たとえば就職や結婚といった大事に失敗したくないというのはわかる。だが、国内における短期の旅などというのは、ささやかな失敗をしても容易に回復できる数少ない機会であるだろう。

私がもったいないと思うのは、失敗が許される機会に、失敗をする経験を逃してしまうことなのだ。人は、失敗することで、大切なことを学ぶことができる。失敗に慣れておくこともできるし、失敗した後にどう気持を立て直すかの術を体得できたりもする。

可能なかぎりネットに頼らず、自分の五感を研ぎ澄ませ、次の行動を選択する。

ただそれだけで、小さな旅もスリリングなものになり、結果として豊かで深いものになるはずなのだ。

さわき・こうたろう（小説家）「日本経済新聞」四月三日

本と引越し

鎌田裕樹

みんな、どうやって本の引越しをしているのだろう。引越しの荷造りに終わりが見えず、ついに泣き言交じりに考えた。文庫、ハヤカワ文庫、平凡社ライブラリー、新書、ソフトカバー、ハードカバー、絵本、写真集、料理書。本棚の本をサイズごとに整理し、段ボールに詰めていく。大小を上手く組み合わせれば、一箱に七〇冊から八〇冊は収まった。引越しの見積もりで荷物には本が多いと伝えると、段ボールの底をガムテープで×字で補強するように指示があった。これまで何度か引越しをしたけど、毎回、ちゃんとこの指示があって感心する。軽く持ち上げて確認する。大丈夫、底は抜けない。ただ、持ち上がりはするが、かなり重い。どのくらいの重さまで運べるか業者に問い合わせると、「お客さんが持ち上げられるくらいなら問題ないっすよ」と返ってきた。その笑顔にはプロの自信と経験が漲《みなぎ》っている。ちょうど良い機会だから、家にある本を数えてみると、二七八三冊あった。今回の引越しで、これらの本をみんな持っていけたら良かったのだが、そうはいかない事情がある。

つい最近までずっと本屋で働いてきて、ちょうど三十歳になる。今回の引越しのきっかけは農家への転職だった。ひとりで暮らしはじめた十八歳の頃、部屋には一冊も本は無かったのに、今や、狭い部屋中が本に囲まれている。十一年続けて、マネージャーもやらせてもらった本屋の仕事を離れた理由は幾つかあるが、決定的だったのは、読書の「物心」がついたからだと思う。子供が、世界の広さを体感して、徐々に自らの好みや夢を知るように、読書に没頭するうち、いつからか、自分が本当に知りたい分野や触れたい感性に気がつき、それはだんだんと研ぎ澄まされていった。しかし、本屋は常に誰に対しても広く開けていなければならない。本屋としての読書と、個人的な読書に乖離が見えた頃から、この仕事の区切りについて考えはじめていた。小さい頃からずっと、本は世界への扉であって、それはこれからも変わらない。ただ、自分の場合、本を開いて一歩を踏み出した先に広がっていたのは、自然という雄大な世界だった。随分遠回りをしたけど、哲学や思想、小説や詩、たくさんの本に出会わなければ、この景色は見えなかった。本屋だったからこそ、農家になろうと思ったのだ。目指すのは、読書が下地にある農家だ。

自分が取り組むのは有機農業といって、農薬や化学肥料を使わない農業である。運よく、小規模だが骨太な農業を展開する会社に雇ってもらい、これから実地で働きながら農業を学んでいく。しかも、修業をはじめるにあたって、住み込みで働くことになった。これから同僚たちとの共同生活がはじまる。自分にあてがわれた六畳一間は、物置だったのか、すでに家財道具が押し込まれ、狭い。この部屋に持ち込める本はせいぜい五〇〇冊程度だろう。さぁ、二〇〇〇冊以上の本をどうするか。

まず、売っても良いと思える本を二〇〇冊売って、そこで手が止まってしまった。この本たちは本屋時代の自分の思い出、分身でもあるのだ。残りの本たちは、どうしても手放すことができなかった。トランクルームを借りようかと考えるも、数年後の独立に向けて金はできるだけ貯めなければならない。普通、こういった止むを得ない事情があって、本は人の手を離れるのだろう。あれこれ考えた結果、本は実家に送ることにした。三十歳にもなって実家を頼らざるを得ない事実に後ろめたさも覚えながら、甘えられる拠り所があるという有り難みを噛み締めている。

調べると、宅配業者で送れる荷物の重量制限は三〇キロだと書いてある。家には秤も体重計もなく、どうやって重さを判断しようか考えた。偶然、その前の日にジャガイモを掘っていて、農家がよく使う黄色いコンテナ一杯でだいたい二五キロになる。疲れ果てるまで運んだ感覚をまだ体が覚えていて、本をぎっしりと詰め込んだ段ボールはちょうど同じくらいの重さになった。この目方に狂いはなかったようで、問題なく発送できた。二〇〇〇冊で二五箱。母には本を送るとだけ伝えていたので、突然送りつけられた本の凄まじい質量に腹を立てながら呆れていたが、ジャガイモの話をしたら最後には笑ってくれた。

今、新しい生活がはじまった部屋に自分の荷物は少ない。物を書くための机と、布団、あとはりんご箱九箱に本が並んでいる。昔の「暮しの手帖」でりんご箱を食器棚にしているのを読んでから、本棚にはりんご箱を重ねて使ってきた。一箱に前後二列に置いて、だいたい六〇〇冊の本が収まる。持ち込んだ五〇〇冊の本は、農業、哲学、詩と、繰り返し読んできた文学を少しだけ選んだ。まだ、新しい本棚に慣れずに、実家に送った手元にない本を、いつまでも探してしまったりする。買った本のことは、はっきり覚えているもので、むしろ、持っているはずの本の不在は、その本の記憶を際立たせる。誰かに貸して、返ってこなかった本のように。農家として一人前になって再会を果たしたとき、二〇〇〇冊の本たちはどんな表情を見せるだろうか。そっぽを向くか、また向き合ってくれるか。本を見送り、寂しさを抱えたまま、今日も畑に出る。次の、新しい十年がはじまろうとしている。

かまた・ゆうき（農家見習い・文筆家）「群像」1月号

宮沢章夫さんを悼む

松尾スズキ

宮沢章夫さんが亡くなった、という知らせを受け、あまりにも突然で受け止められない、という気持ちと、30年ほど昔の、青春といえるような甘く苦い香りが、鼻の奥の方に拡がるのを感じていた。

宮沢さんと過ごした日々は、少なくともわたしには遅れてきた青春だし、宝物の時間である。

午前0時、29歳のわたしは、文化放送のラジオブースにいた。

目の前には、キッチュさん(すでに松尾貴史と改名していたが、ほとんどの人がそう呼んでいた)、となりには、わたしと同い年のふせえりさん。

これから宮沢章夫さんが書いたラジオ用のコントを生放送で演じるのである。1回読み合わせをしただけで、0時ジャストに生本番。初めの方こそ緊張したが、1年も続けているとそれが当たり前のこととなり、3人の息も合ってきて、実にスムーズに5分間の生放送が終わる。

キッチュさんが当時夜帯でやっていた『キッチュ！　夜マゲドンの奇跡』というラジオ番組の中のミニコーナーで、宮沢章夫さんのコントを我々は演じていたのだった。そのコーナーは2年間続いた。5分のコントが月〜金で5本。金曜日の夜に集合し、まず0時からの生放送を1本。それから出前をとって無駄話をしながら夜食を食べ、宮沢さんの執筆時間に入る。無駄話は、重要だ。その話の中に、次のコントのヒントが潜んでいる可能性もある。宮沢さんは、夜食後、朝までかけて次の木曜日までの4本分のコントを書き演出するのである。

その場で、設定を口にして、我々にアドリブで演じさせ、それを放送作家の高橋さんが書きとり、宮沢さんが整理して収録、ということもあったし、一人でうんうんうなりながら机にかじりついていることもあった。書いては収録、書いては収録。それを4回やって朝日を浴びながらお疲れ様ということになる。

家で書いてくればもっと楽できるのに、と思うほど苦労されているときもあった。ときどき「助けてー」と悲鳴を上げては「かっかっかっか」と自虐の高笑いをするのだった。しかし、現場でわたしたちに会い、わたしたちの意見を聞きながら書くというスタイルが好きだったのだろう。キッチュさんも積極的にアイデアを出すタイプだし、試しにやって見せる声色やものまねの引き出しの多さは驚異的だった。ふせさんも、ふられれば、どんな役もアドリブで的確にこなす。うまいダンスパートナーがいればおのずと相手役もうまくなるように、ラジオなんてまったくやったことのなかったわたしも、声色やギャグのタイミング、どこで声を張ればウケどころとなる、などということが勘所としてわかってくる。ネタによってはナレーションの技術も必要とされる。キッチュさんのナレーションは、アナウンサーよりも堂に入っており、わたしもなんとか追いつかんと、アパートで新聞を読み上げてうまく聞かせるこつを練習したものだ。そのおかげか、その後、多くのナレーションの仕事が舞い込んだ。

コントにはさまざまなスタイルがあった。刑事の取り調べコント。小津安二郎風ホームドラマコント。歌ネタ。CMネタ。映画の予告編パロディ。「ブラジルブラジルブラジル」と連呼するだけのシュールなコント。週5でやるわけだから、ありとあらゆることをネタにする。ただ、宮沢さんは、いわゆるボケて突っ込んでのベタなコントはひとつも作らなかった。いつもどこかに実験があった。この日々がどれだけわたしの勉強になったことか。

60歳になる今でもわたしはコントを書いているのだ。

今でこそ、劇作家、教授、と呼ばれる学究肌の宮沢さんだが、当時は日本で一番尖《とが》ったコント師だったのだ。

初めて『ラジカル・ガジベリビンバ・システム』を見て、宮沢さんの虜《とりこ》になった。魂が震えるほど刺激をうけた。ひとつの芝居の中に何十本とコントが詰め込まれ、それらはばらばらのようで有機的に結びつき、ひとつの幹となりそうになりつつも霧散していく。今までまったく見たことのないスタイルであるし、オシャレでかっこよかった。

それから宮沢さんのところに直談判のような形で会いに行き、濃いお付き合いが始まったのだった。芝居に出してもらったり、大人計画の芝居を破格の値段で書いてもらったりもした。ＣＤも作った。地方でコントのビデオを撮ったりもした。仕事中、ずっと宮沢さんは「かかかか」と笑っていた。

ラジオ局からの帰り道、いつも宮沢さんとタクシーが一緒になった。帰りのタクシーの中で宮沢さんは、今一番新しい笑いを作っているんだという自負を感じているように見えた。わたしが降りると、

「そいじゃ、また来週」

そういって、タクシーで朝焼けの町を去っていく。

来週はもっとおもしろくなって、宮沢さんをもっと笑わせてやる、そのたび誓ってア

パートに帰った。

すっかり歳をとってしまい、その日々を忘れていたが、宮沢さんの訃報を聞いたあと、あの日々が価値の塊となってわたしの身体の中で結晶化した気がした。

宮沢さん、ありがとうございました。生きているうちにきちんとお礼を言えなかった自分がもどかしくてなりません。


まつお・すずき（作家・演出家・俳優）　「西日本新聞」十月五日

おいしい物語

今井真実

六歳の息子が熱心にメモを書いている。

「こむぎこ　いちご　さとう」

ねえ、なにそれ？　と聞くと「ゾロリのぜいたくいちごしょくパンをつくるの」と言うではないか。なんでも書籍『かいけつゾロリのレッドダイヤをさがせ‼』にこのパンの作り方が書いてあるらしい。

「おかあさんもよんで！　つくって！」とせがまれて、見るとたしかに作り方が載っている……ように、一瞬見えた。きっちりと読み上げてみると、むむむ。たしかにパンを作るレシピではあるけれど、くわしい分量は書いていない。

かいけつゾロリよ、またですか。ゾロリではいつも、現実と物語とのすれすれの食べ物が描かれている。それがもう、なんともそそられて、作りたくなって、食べてみたくなってしまうのだ。その食べ物が登場するに至るストーリーだって面白い。

だけども実際には、作り方の詳細は載っていない上に、材料の分量もてきとう。その自由さが愛おしく、再現できない夢の食べ物なのだ。

曲がりなりにも、料理を仕事にしている私。なんとなくのカンでレシピを割り出し、夫と息子と一緒に作ってみることにした。

かいけつゾロリ、「かんぺきないちご食パンのレシピ」と書かれているのもすごい。ふつう、料理家だと「かんぺき」と言い切るなんてあり得ないだろう。しかし、この魔法の言葉は、ただの食パンをきらきら輝かせてみせるのだ。正直うらやましい。

ぜいたくなざいりょうと書いてあるからにはケチケチせずに「いちご1パック」を使ってしまおう。なんとまあ豪気なこと。

いちごをミキサーにかけ、そのジュースと強力粉、砂糖、塩、バターをまぜてこねる。暖かい場所に置き、生地が発酵してぷっくりと膨らんだら、「ゾロリもすきだよ」と息子たっての希望で板チョコを割って一緒に練り込む。空気を抜きながらパウンドケーキの型に入れたらいよいよオーブンに。上部が山型に膨らんでいき、どんどんきつね色に色づいていく。

漂う、甘い空気にキッチンから離れられない。息子と一緒になって「いいにおい〜」

とじたばたしてしまう。

焼き上がったパンは、まるでお店に並んでいるような美しい姿になった。想像よりもかなり上品な淡いピンク色。ふわふわで気高いいでたちをしている。

本当は焼き立てを少し休ませないといけないのだけど、もう我慢できずにパン切り包丁でそっと切れ目をいれて端っこをちぎってみる。いちごの香りの湯気が吹き出し、あちあちのチョコレートがとろとろと流れ出した。その瞬間の家族のうっとりした顔ったら。ああ、どうして物語に出てくる食べ物ってこんなに魅力的なのだろう。


私自身、レシピ本を見て作るより、物語から影響を受けて料理することが多い。小説を読んで一番記憶に残っている食べ物は、山田詠美の短編小説「彼女の等式」に登場する豚汁とフライドポテトだ。

はじめてこの物語を読んだのは中学生の時。家庭的な、言ってしまえばなんてことのない日常の汁物である「豚汁」。そして、ファストフードでしか口にしない、油っぽくふにゃりとした「フライドポテト」。そんなイメージが見事に払拭されたのだ。

「彼女の等式」は会社員である美しい春美と、売れない漫画家の芳実の恋物語だ。春美が家に帰ると、一緒に暮らしている恋人の芳実がご飯を作って待っている。その温かな台所の空気が、文章から匂い立っている。

あつあつの豚汁には、あさつきと七味唐辛子を振ってある。ほかほかの御飯に手作りのお新香。今日は大根と胡瓜である。細く刻んだ柚子が散らしてある。

なんでしょう、地味なのに豊かなこの食卓は。豚汁という、家庭に存在する普遍的なものだからこそ、引き立つ色気。恋人たちの艶々で清い食事にほくほくしてしまう。なかなか仕事に恵まれなかった芳実の漫画の連載がついに決まった日。その晩に作られたフライドポテトは、中学生の私にとって衝撃だった。

オリーブオイルでじゃが芋を揚げていた。部屋じゅうに、タイムやローズマリーの香りが漂っていた。ワインも抜かれている。

オリーブオイルでじゃが芋を揚げるなんて思ってもみなかった。そこにハーブを入れるなんて。洗練をまとうお芋よ。

頭がクラクラした。まだ十三、四歳の子供だったから、ワインなんて飲めないけれど、きっとこのワインは冷たいもので、熱々のいい香りのフライドポテトを、そのワインで流し込むんだろうなあ……というところまで想像したものだ。恋人たちはきっと、穏やかな幸せを噛み締めているのだろう。「おいしい」を感じる時、食のまわりの空気や思い出も一緒になって味わっているのではないかと思う。

小説や映画、「物語」を彩る料理。その食べ物はどんな味だろうか、口にした時に、どんな気持ちになったか、どんな表情をしているか、その後どんな人生を辿っていくのか。想像していると、その料理を作るだけで主人公になれるのでは、とすら錯覚する。物語に描かれる食べ物は、まるで現実に生きる私との架け橋のようだ。

今や、私の定番の料理であるフライドポテト。いつも誰かに作るたび驚かれるのだが、種明かしをすれば、かつて胸を焦がすほど夢中になって読んだ小説から誕生したレシピだったのだ。近頃では、ローズマリーやタイムだけでは飽き足らず、バジルや庭の明日葉も一緒に、ぱりぱりになるまで素揚げして混ぜ込んでいる。

今日も、黄金色のオリーブオイルの鍋の中では、大量のじゃが芋がしゅわしゅわと細かい泡を立てている。子供たちはフライドポテトが大好きだから、いつもたっぷり作るのだ。青いハーブの香りをぎゅっと吸い込んで、揚がったそばから熱々のじゃが芋に塩を多めに振る。台所で立ったままに、かりっと揚がった芋のかけらをひとかじり。恋を謳歌していた若者たちを思い出す。大人に見えた彼らも、きっともう年下だろう。私は、冷え冷えとした白のワインをグラスに注ぎ、喉を鳴らして飲み干した。

いまい・まみ（料理家）「群像」10月号

ぼくらの第二次世界大戦

小川　哲

「第二次世界大戦」を初めて学んだのは、小学校で社会の授業を受けていたときだったと思う。何十年も昔、僕の両親が生まれるよりも前に、日本はアメリカを相手に戦って敗北した。軍隊が解散して、新しい憲法ができた。先生の話を聞いて、当時の僕は率直にこう思った。

「アメリカと戦っても勝てるわけがないのに、どうして戦争なんか仕掛けたの？」

僕だけでなく、それなりの数の人がそう感じたのではないか。第二次世界大戦における日本の味方はドイツとイタリアだ。それに対して、敵はアメリカ、イギリス、ソ連、中国……。味方の強さと敵の強さを比較したら、どちらが勝つかなんて目に見えている。そんなことくらい、小学生にもわかる。日本は負けるべくして負けた。勝ち目のない戦争を仕掛け、こっぴどく敗北した。日本は日清戦争に勝った。日露戦争に勝った。第一次世界大戦に勝った。そこまではわかる。でも、第二次世界大戦に負けた。意味がわからない。

大人になっても、その疑問が完全に晴れることはなかった。日本のような小国が、アメリカを相手に戦争をして勝てるわけがない。もちろん、勝てる見込みがあるなら戦争をしてもいい、という話ではない。戦争をしてはいけない。だが、もっと単純な問題として、つまり戦争そのものの善悪とか、日本が戦時中に犯したさまざまな非人道的行為とか、天皇の存在とか、そういった話以前に、僕はシンプルに理解できなかった。勝てると思ったから戦争をした――間違った発想だが、理解することはできる。きっと戦争に勝つことで得られるものも存在するのだろう。でも、勝てる見込みがない戦争をする意味はわからない。ボクシングを習いはじめて一年の喧嘩自慢が、メイウェザーに殴りかかるようなものだ。

しかしそれでも、八十年以上前、日本は実際に戦争をしたのだ。

僕たちの世代にとって、戦争は他人事だ。なぜ他人事なのかというと、なぜ戦争をしたのかわからないからだ。昔の日本人は獰猛で、異常で、貪欲だった。小学生でも負けるとわかる戦争をするくらい馬鹿だった。だから他国の人々や自国の人々にひどいことをした――漠然と、そういう風に理解している人も多いと思う。

しかしその一方で、僕たちは他人事ではいられない。戦争はまだ終わっていないのだ。「戦後」という抽象的な意味でもそうだし、戦後補償も完全には解決していない。海の向こうでは実際に戦争が起こっていて、その戦争には第二次世界大戦の影響がある。八十年以上前、僕たちが生まれるよりもずっと前の人たちによる愚かな行為の代償を、どういうわけか僕たちも引き受けなければならない。「日本が戦争をした」という文章を「僕たちが戦争をした」という文章に読み替えなければならない。

そのためにはまず、かつて起こった歴史上の戦争を「理解」しなければならない。「馬鹿だったから愚かなことをした」というところで歩みを止めず、「たしかに、こういう状況に追い込まれたら戦争に向かってしまうかもしれない」という地点まで進まなければならない。

戦争を「他人事」ではなく「自分の身にも起こりえること」だと理解すること。愚かな行為に至るまでの過程を知ること。「敗戦」というのが最終的な答えであるならば、その途中式を描くこと。そして何より、小学生の僕が抱いた疑問に応えること——それが『地図と拳』を執筆しようと思った根本的な動機だ。『地図と拳』は満洲（現・中国東北部）と日本の半世紀の関係を描いた小説で、うまくいっているかどうかは別にして、僕なりのやり方で小学生の自分が抱いた疑問の答えを見つけようとした。

僕はSF作家としてデビューした。SF小説は多くの場合、未来の社会を描く。現代より発展したテクノロジーが利用され、現代とは違った統治形態があって、現代とは違う価値観の中で生活する人々を描く。現代と未来を接続するために、僕たちは理由を考える。なぜ人々は新しい政治形態や新しい価値観を受けいれたのか。現代におけるどんな問題が顕在化した結果、社会が変化したのか。SF作品の強度は、現代と未来を接続する過程にかかっている。過程に説得力があれば、作品内で描かれる架空の未来社会が、この世界の延長線上にあるのだと感じられる。「未来の架空の話」が「僕たちの話」に変わる。

歴史小説も同じだと思う。過去と現代を接続することで、「過去の日本の話」が「僕たちの話」に変わる。そして、そうやって接続することでしか、僕たちは戦争を理解することができない。

昨年、祖父が九十六歳で亡くなり、昨日は一周忌だった。祖父は学徒動員で戦争を経験している。つまり、「戦場」を経験した最後の世代だ。祖父だけでなく、戦争において何が起こっていたのか、自分の経験として語ることのできる日本人は、今後数年ですっかりいなくなってしまうだろう。だからこそ僕は、それぞれの世代が、それぞれの世代にしかできないやり方で、過去の戦争と現代を接続するべきだと思っている。そのことは、現代に存在するさまざまな戦争の萌芽に目を向け、僕たちなりの反戦活動をするために必要なのではないか。そんなことを考えている。

おがわ・さとし(作家)「青春と読書」7月号

「伏線」と「回収」

細馬宏通

「伏線がしっかり回収されている」「伏線回収が見事」といった表現を、物語の感想でよく見かける。苦手だ。

作品についてあれこれ考えることじたいが苦手なのではない。むしろわたしは細かいことをあれこれ考え過ぎてしまう方だし、1つの作品について1冊分の本を書いたりもしてきた。物語の筋道、すなわち「線」を辿《たど》ることは、考え方の基本とも言える。けれど「伏線回収」ということばとはなぜかソリが合わない。

「伏線」は古くから用いられてきた。滝沢馬琴は『南総里見八犬伝』の附言《ふげん》で、中国のさまざまな長編小説に見られる「法則」のひとつをこんな風に解説している。「いわゆる伏線は、後に必ず出すべき構想上の工夫があるときに、数回以前に、ちょっと手を打っておくことである」。長大な物語を書いた馬琴にとって「伏線」は重要な技術の1つだったのだろう。

一方、「伏線」を「回収」する、という言い方はそれほど古くない。わたしが初めて見たのは1990年代末か2000年代に入ってからのことで、ミステリーやRPGゲームのような、登場人物やエピソードが複雑にからんだ物語の作り方を論じるときに使われていたのではなかったか。特にこの数年はよく見かけるようになった。ドラマ「あなたの番です」が人気を得たことや、「進撃の巨人」「鬼滅の刃」「ゴールデンカムイ」などの長編マンガが次々と完結して以前に出てきたエピソードが思わぬ帰結を迎えたことが、このことばが流行《はや》る一因なのだろう。

けれど、「伏線」を「回収」と呼ぶ感覚がわからない。答案を回収したり廃品を回収したりするとき、回収すべきものは、あからさまに目の前にある。回収されずに放り出されていると、目障《めざわ》りでしょうがない。しかし、物語のできごとというのは、できごとの終わったあとに、やたらあちこちで不要な存在感を発揮し、回収を待っているわけではない。そもそも存在が潜伏しているから「伏線」なのだ。筋道を考える作者が自身の作為のことを「伏線」と言ったり、やや自嘲《じちょう》気味に「回収」と言うのはまだいい。しかし受け手が「回収」と言うと、作品を観《み》ながらエピソードのひとつひとつに目を光らせ、いまかいまかと回収の瞬間を待っているようで、どうも居心地が悪い。よいドラマなら「回収」などと言う暇もないほど、こちらを思いがけなく不意打ちする。

そもそも、作り手にとっても、「伏線」は最初から見えているとは限らないのではないか。「キャラクターが勝手に動く」という話をよくきく。書いているうちに登場人物が作者の意志から離れて動き出し、勝手に筋道が決まっていくというようなことは、長編の物語を書く人にしばしば起こることなのだろう。

じつは作り手自身にとっても、「伏線」は伏せられていたりはしないか。前に自身の書いたことが、しばらく経って、ふと、じつは物語の鍵だったのでないかと、甦《よみがえ》るように思い出されて、その帰結はどこに向かい得るのかと考える。そんな風に物語が進むことだってあるだろう。

回収の時を待ち自堕落《じだらく》に伸びる物語の線にこだわる気は起こらない。突然、ことが起こり、物語を遡《さかのぼ》るように水が溢《あふ》れる。作者すら想像もしなかった川が滔々《とうとう》と流れ出す。そういう「伏線」のことなら、いくらでも考えたい。


ほそま・ひろみち（行動学者）　「日本経済新聞」六月一日・夕刊

心に残る　猪木の言葉

川添　愛

子ども時代の私にとって、アントニオ猪木は「世界で一番強い人」だった。より正確に言えば、世界最強は「アントニオ猪木かジャッキー・チェンのどちらか」で、実際どっちが強いのか、学校帰りに歩きながら悩んだりした。長崎出身の私は原爆の話が怖くてたまらなかったが、「猪木なら、空から原爆が落ちてきても受け止めて投げ返せるんじゃないか」と考えていた。プロレスが好きだった父にそのように尋ねた記憶もある。父が何と答えたかは覚えていないが、娘の質問に困惑したことは間違いない。

当時の私は猪木の試合をきちんと見ていたわけではない。プロレス自体、あまりに怖かったため、まともに見ていなかった。当時の私はテレビで怖いシーンが出てくるたびに目の焦点をぼやかしていたが、プロレス中継もほとんどの時間、ピントを外した状態で見ていた。とはいえ、たとえ普通に見ていたとしても、攻防については何も分からなかったと思う。

まともに試合も見ていないくせに「猪木最強」と思っていた理由は、たぶん「顔」だろう。プロレスラーの中で、いや、私が当時知っていた〝闘う人〟の中で、猪木が一番すごい顔をして闘っていた。相手を挑発する「来い、このヤロー」という言葉も印象に残っていたが、この頃は言葉以上に、顔から闘志を感じ取っていたと思う。

猪木の言葉に注目するようになったのは、もっと大人になってからだ。2000年頃から総合格闘技やプロレスの試合を見るようになり、自然と猪木の言葉に触れることが増えた。これも「プロレスファンあるある」だと思うが、プロレスを見始めてから「猪木語」が口をついて出るようになるまで、ほとんど時間はかからなかった。「声に出して言いたい猪木語」のスピードラーニングだ。

なぜ猪木の言葉を言いたくなるのか。理由の一つには、「語呂の良い言葉が多い」ことがあるだろう。たとえば、おなじみの「元気があれば何でもできる」は七・七調。私が好きな「一寸先はハプニング」も見事な七・五調であり、こればっかり口に出していると、元ネタである「一寸先は闇」を物足りなく感じるようになる。髙田延彦の引退試合のときに放たれた「秋は行ってしまうけど、髙田の奥さんは向井亜紀」というかなりどうでもいいダジャレも、リズムが良いせいか、秋が深まってくると必ず口に出してしまう。

また、猪木の言葉には汎用性の高いものも多い。無理をして疲労困憊したときには「こんなプロレスを続けていたら10年持つ選手生命が1年で終わってしまうかもしれない」という言葉を思い出すし、何かにチャレンジしようとしているときに他人から弱気な言葉を投げかけられたら「出る前に負けること考えるバカいるかよ」と言って跳ね返したくなる。相手のありのままを受け入れようと思ったら「お前はそれでいいや」、自分の担当していない仕事のことで何か言われそうになったら「俺に言うな」。たとえそのまま口に出せない状況でも、心の中の猪木が自分の気持ちを代弁してくれるだけで、なんだか救われたような気持ちになる。

こんなふうに好きな猪木語を挙げていったらきりがないので、ここで私の一押しを挙げておこう。1980年、猪木が〝熊殺し〟ことウィリー・ウィリアムスと闘う前の公開スパーリングの場で放った次の言葉だ。

「私の相手のウィリーさんが、残念ながらスパーリングパートナーがいないということなので、私が今日はスパーリングパートナーをこれから務めようかと」

猪木の言うとおり、このときのウィリーにはスパーリングパートナーがおらず、一人で空手の突きなどを披露していた。この発言はそれを受けてのものだが、相手の状況に配慮していると見せかけて、実際は挑発しているというのがポイントだ。数日後に世間の注目を浴びて闘う者どうしが、公開スパーリングの場で手合わせをするなどもってのほかだ。しかし猪木はこのように発言することで、かねてから公言していた「いつ何時、誰の挑戦でも受ける」が真実であり、自分は今すぐにでもウィリーと闘う準備ができている、と表明したのだ。

しかも、この一言によって「スパーリングパートナーがいないという、対戦相手の状況を気遣っている」という余裕まで表現しているところがまた素晴らしい。「今からでもやってやるよ！」とか「来いコラァ！」などといった凡庸な挑発にはない「大物感」がある。こういう「言葉のプロレス」を巧みにやってのける猪木の言語センスは尋常ではない。

猪木はなぜ、ここまで多くの印象的な言葉を残せたのだろうか。亡くなる十日前に撮影された動画の中で、病床に横たわる猪木はこう言っている。

「だいたい見せたくないでしょ、こんなザマを。みんなに見せたくないよ、普通は。こういう状況が分かって、みんなに見てもらって弱い俺を。しょうがないじゃん」

そして、インタビュアーの「まだまだ猪木さんに先頭を走って欲しいです」という言葉に対して、次のように返した。

「この声が一番、俺の敵なの。まあでも、敵がいる限り、いいじゃないですか」

私のような凡人は、他人から寄せられる期待は自分の味方だと考える。しかし猪木にとっては、ファンから寄せられる声——つまり「猪木にはいつまでも〝猪木〟であってほしい」という期待はあまりにも大きく、絶えず闘い続けなければ自分を押し潰してしまう「敵」であったに違いない。猪木は最期の一息まで、世間の期待と闘った。彼の言葉の一つ一つは、私たちの期待に対して繰り出す〝延髄斬り〟であり、〝卍固め〟だったのだろう。

闘いはリング上にのみ存在するのではなく、人生のあらゆる時点に存在するということを、猪木は身をもって私たちに教えてくれた。生きているかぎり、年老いること、病を得ること、死ぬことは免れないが、私たちの番が来たときにはきっと、心の中の猪木が励ましてくれるに違いない。

猪木さん、ありがとうございました。

かわぞえ・あい（言語学者）「新潮」12月号

アジフライの正しい食べ方

浅田次郎

孔子は「四十にして惑わず」とのたまい、孟子もまた「四十にして心を動かさず」と言った。すなわち人間は四十歳でおのれの世界観を確立し、そののちの人生を揺るがずに過ごさねばならぬのである。

しかし齢《よわい》七十にもなって、アジフライをどのように食べてよいのかわからぬ。しかも大好物であるから、たぶんこれまでに三千尾ぐらいは食べており、にもかかわらず食い方が決まらぬとは情けない。いったい世の中に、三千回もくり返してスタイルの決まらぬものなどあろうか。

迷いの発端は今を去ること十五年くらい前、『一刀斎夢録《いっとうさいむろく》』執筆のため大分県佐賀関《さがのせき》を訪れた取材旅行であった。

佐賀関といえば豊予《ほうよ》海峡の荒波に揉《も》まれた〝関あじ・関さば〟。滅多にいただけぬ高級魚である。ところがたまたま通りかかった漁港の近くに、「関あじフライ定食」という看板を認めてわが目を疑った。東京のデパ地下や空港の売店等で見かけても、たいていビビるくらいの値がついている〝関あじ〟を、刺身でも焼物でもなくフライにするとは何という贅沢であろう。しかも漁港の食堂ならば冷凍物であるはずもなく、「定食」と称するからには安価であるにちがいない。

折しも昼飯時であったので車を急停止させて食堂へ。編集者一同ともに感激しつつ、至福の「関あじフライ定食」をいただいた。

ものすごくうまかった。前後の取材内容がてんで記憶に残らぬくらい。いや、うまいまずいではない。話はアジフライの食べ方である。

食堂のテーブルには醤油とソースが置かれていた。そしてほどなく運ばれてきた定食の膳には、タルタルソースがついていた。メンバーは編集者男女各一名と私、つごう三名である。むろんオーダーは全員がアジフライ定食。しかし三者三様にアジフライの食べ方が異なっていた。

私は醬油。和風に徹していた明治生まれの祖父母に育てられたせいで、醬油信奉者なのである。

男性編集者は卓上のソース。ごく当たり前の市販品である。

「エッ、ソースかよ」と私。

「ふつうソースでしょう。フライなんだから」

そういう考え方もあるのか。なるほど、醬油党の私もトンカツやコロッケにはソースをかける。つまり私は醬油とソースの使い分けに際しては「魚か肉か」を基準とし、男性編集者は「天プラかフライか」で区別しているらしい。

ところが、女性編集者が迷うことなくタルタルソースを使用したので、話はややこしくなった。

「わたくし、ふだんでもアジフライにはタルタルですの。魚介類にはタルタル」

言われてみれば私も日ごろエビフライやカキフライにはタルタルソースを使用している。ならばなにゆえアジフライだけ醬油なのかと考えても、合理的な説明はつかない。

たぶん私が子供の時分には、エビフライやカキフライは家庭の食卓に上らぬ高級品だったので、祖父母の影響を受けることなく、長じて外食をするようになってからタルタルソースとセットで食べるようになったのではあるまいか。わけてもマックの「フィレオフィッシュ」にタルタルソースが使われていたのは、決定的であったと思われる。

ところでこの取材の眼目は、西南の役における豊後《ぶんご》口の戦についてであった。西南戦争といえば田原坂《たばるざか》の戦が名高いが、実は東側の大分が戦線の北端である。野村忍介《おしすけ》ひきいる二千余の薩摩軍が、政府軍の手薄なこの地域に突出した。もしや熊本の戦線は陽動作戦で、野村の部隊が北九州の不平士族を糾合して小倉の政府軍本営を狙う作戦だったのではあるまいか。

佐賀関の戦跡をめぐりながら、編集者たちとあれこれ語り合い、想像は大いに膨らんだのであるが、つまるところアジフライは醬油かソースかタルタルかという激論になってしまった。

なお詳しくは文春文庫『一刀斎夢録』を参照のこと。むろんアジフライの食べ方ではなく、西南戦争について。

「アジフライはどうやって食べますか」

そう訊《たず》ねると、マッサージ師の手の動きが止まった。

「は？」

「醬油ですか、ソースですか、それともタルタルソースとか」

本稿でもしばしば書いている通り、私にとってマッサージは生活の一部である。性格も凝り性だが体も凝り性で、五日もあけば仕事が手につかぬ。

その当時かかりつけであったマッサージ師はうら若き女性であったが、けっしてツボをはずさぬ名人であった。ここちよく体をほぐされながらふと、名人ならばきっと食べ物の趣味もよろしかろうと考え、懸案のアジフライについて訊ねてみたのである。

施術に際して対話はない。おたがい集中が必要だと思うゆえである。そもそもマッサージは師の指先と私の肉体との会話であるから、穢《けが》れた言葉などかわしてはならぬ。

しかるに、そうした神聖な関係が数年間も続いたあげく、アジフライの食い方について唐突に訊ねられた師は、さぞ当惑したであろう。

ややあって、師は肩甲骨まわりのツボを攻めながら答えた。

「何もつけません」

イテッ。イテテッ。でも気持ちいい。一ミリもはずれてはいない。たぶん手書き原稿のせいであろうが、右手ではなく体重を支え続ける左肩が凝る。しかも肩甲骨まわりのピンポイントである。

「アッ、アアッ。何もつけないとは、塩でしょうか」

「いいえ。フライは大好きなので、何もつけないんです」

「イテッ。フライはすべて、ですか。アアッ、エビフライは」

「もちろんですとも。何か調味料を加えれば、みんな同じ味になってしまいますから」

「イッテェー。いや、遠慮なく。まさかトンカツは」

「やっぱり何もつけませんね。豚肉の旨味《うまみ》がきわだちます」

「ヒエーッ」

名人である。ツボをはずさぬ師は味覚もたしかなのであろう。しかし私には、ソースもカラシもつけずにトンカツを食べる勇気はない。思えばあの日、関あじのフライを何もつけずにそのまま食べてみなかった私は愚かであった。

孔子は言う。「七十にして心の欲するところに従えども、矩《のり》を踰《こ》えず」

要するに何だ、七十になったら醤油だろうがソースだろうがタルタルだろうが、てめえの好きにすりゃいいんだが、揚げ物はなるたけお控えなさい、ということだな。


あさだ・じろう（小説家）「SKYWARD」4月号

石膏のヒポグリフ

鯨庭

『ポケモン』の影響からか、空想動物への憧れが強い。龍や一角獣、グリフィンなど、実在動物を掛け合わせた不思議な容姿や奇抜な設定は私を強く惹きつけ、もし本当に存在したならどこに生息し、どのような生態を持つか想像せずにはいられない。普通なら提示された情報だけでその動物を見るのかもしれないが、私はつい見えない部分についつて考えてしまう。

例えば鷲と馬を掛け合わせたヒポグリフの主食はなんだろうか。『ハリー・ポッター』に登場するヒポグリフは肉食として描かれていたが、後半身が馬のヒポグリフにとって、肉食は消化に負担があるのではと想像する。草食動物である馬にはもともと脂肪分の分解を助ける胆汁を貯蔵する胆嚢がない。その代わりに、植物性の食物を消化しやすくするための長い腸を持つからだ。鷲などの猛禽類は完全肉食であり、草食動物の持つ大きく平らな臼歯がないため、草をすり潰して食べることができない。胃石という小石を飲み込み、胃の中で歯の代わりに食べたものをすり潰して消化することもできるが、鷲の頭と前半身のヒポグリフが草食だとは考えにくい。肉食動物と草食動物の掛け合わせは雑食になるのだろうか。それとも内臓の作り自体が変わって、肉食のみで生きていけるようになるのか。答えのない問いを考えるのは楽しい。

私は漫画家として作品内に空想動物をたくさん登場させてきた。『言葉の獣』は他者が発した言葉が獣として見える東雲と、言葉に強い関心がある薬研が「いちばん美しい言葉の獣」を見つけるため協力し、言葉と向き合う物語だ。実在動物のようでよく見ると変わった姿の「言葉の獣」を、東雲は習性や特徴と共にスケッチブックに描きとめる。空想動物を詳細に描写し、生態を反映させるには実在動物の観察が欠かせない。動物園や図鑑で観察するのも良いが、動物を飼うと四六時中そばにいるからこそ見えてくる部分がたくさんある。

おにぎりという白文鳥を飼っている。ついこの間まで地肌が丸見えの、何かあったらすぐ事切れてしまいそうなか弱い雛だったが、生後五ヵ月になった今はもうすっかり文鳥の形をしている。羽毛を纏っているはずなのに、ふっくらした鳩胸は大理石から削り出したように滑らかで冷たい。でも触ると指が沈みその先に熱がある。じっくり見ると薄い半透明の羽根が何層にも広がり、彼女を包み守っている。羽繕いの際は惜しげもなく翼の構造を披露してくれる。長い風切り羽根が美しく整列して開き、向こうの景色を透かす。目を瞑って手入れに勤しむ姿は宗教画のようだ。真綿のような体に対して脚は大きく立派で、私の腕にとまると鋭い爪が肌に柔らかく食い込む。爪の中に血管が通っているのが見えると、生きているんだなと不思議な感覚に陥る。嘴は熟れた桃の色で貝殻のように可憐なのに、指のささくれを遠慮なくむしってくる。かなり痛いからやめてほしい。米粒のような目で私を瞳いっぱいに睨み、アイリングの奥にある瞳孔は明かりの下だと赤く光る。実際に飼ってみるとわかるが小鳥は賢い。朝は六時半きっかりに鳴いて私を起こし、名前を呼べば返事をして飛んでくる。カゴの中で目が合えば鳴いて話しかけてくるし、放鳥が終わりカゴに戻そうとすると「まだ遊ぶ！」と人間の手を巧みにすり抜け逃走を図る。何回か説得されたのち渋々帰って行くのは、人間の子供と同じで笑ってしまう。小鳥と暮らすまで、彼女らがこんなに賢く感情豊かだとは知らなかった。飼育とは、ただ眺めて観察するだけでは得られない情報の洪水に巻き込まれるということだ。それはとても幸せなことだ。

空想動物を想像した人も、こんな風に動物を観察し飼育しただろうか。動物を愛しただろうか。私にはあんなに美しく獰猛な空想動物たちを、動物に愛がない人が創造したとは思えない。実在動物はすでに充分に美しい。それに飽き足らず美しさの掛け算をする人間は実に愚かだ。愚かだとしても、空想動物は誰かが「こんな動物がいたらいいのに」と情熱を持ち描いて生まれたはずなのだ。私はその熱が自分に届き、共感に辿り着いたことに叫び出したくなる。そして空想動物の想像の余地という隙間をいつまでも楽しみたいと願う。存在の脆さは空想動物の本質だろう。実在動物には無いものだ。脆さ、と聞くと弱点になりそうだがそんなことはない。中身が空洞だからこそ、同じ空想動物でも描く人によって何通りもの別の動物として私の目の前に現れてくれる。空想動物を愛するひとりとして、その脆さを補填する作業は苦にはならない。

奇妙な姿の「言葉の獣」たちは東雲の空想なのか。それとも実在するのか。その正体を追って、ふたりは獣たちが棲む「生息地」に足を踏み入れる。さまざまな獣を通して言葉と遭遇し、その獣をよく観察し言葉を深く突き詰めていく。言葉について考えて視野を広げる行為と、空想動物の隙間を描くことは似ている。どちらも深く考えるには面倒な部分で立ち止まり、粘り強く観察し疑問を抉り出して、自分なりの答えを突き詰めようとする執着だからだ。それを漫画に落とし込むのはなかなか骨が折れるが、こんなに面白い仕事は他にないと思う。考えて考えて、考えた先に現れる空想動物は、こうべを垂れて私が頭を撫でるのを許してくれるのだ。

くじらば（漫画家）「群像」11月号

天井を見続ける

藤原麻里菜

　私が余計なことで忙しくしているのには理由があって、それは去年の8月くらいに病気になったからだ。不安障害という病気で、漠然とした不安が常につきまとって、頭痛や動悸など身体的な症状がでる。予定も何にもないのにバイトの面接に行く前みたいな緊張感がずっとある。通院して薬で治している最中なのだが、薬よりも何よりも、余計なことで自分を忙しくするほうが効果があるような気がして、今までやってこなかったことや、優先度の低いタスクを隙間時間にこなして、忙しい毎日を送るようにしている。

　忙しくしていると不安を忘れる。だから、暇ということを敵にして、常に時間を何かで埋めるようにしていた。しかし、暇から逃れることをずっとしていて解決するのだろうか。孤独な時間に対峙することは、人生において不必要なことではない。電車の中では本を読み、散歩をしているときはラジオを聴き、寝る前でさえもYouTubeを垂れ流しにするなど、とにかく暇になることを避け続けていたけれど、ここは一つ、一日中孤独と共にあってみたいと考えた。

今日は、天井を見続ける日にしよう。仕事とか、そういうことは忘れて、一回、天井を見よう。目が覚めたときにそう思った。天からのお告げかもしれない。汝、天井を見よ。という声が聞こえた気がする。そうだそうだ、天井を見よう。こうやって、横になって、天井を見る……。寝てしまった。30分後にはっと目が覚めて、天井を見ることって、意外にも難しいことかもしれないと気がついた。睡眠という敵がそこにいる。しかし、二度寝したからもう準備万端だ。もう一度天井を見よう。ああ、白い天井だ。染みひとつない白い天井を見ていると思案が浮かんできては消える。……くらげにさされた人とおしっこをしたい人をつなげるサービスがあったらどうだろうか……。寝てしまった。睡眠という欲の奥は深い。一度ベッドから立ち上がり、シャワーを浴びて歯を磨いた。エナジードリンクを飲んで、もう一度ベッドに入り、横になる。これで、一日中天井を見る覚悟はできた。

一連の目覚める行為のおかげで、目はギンギンに冴えているから、今度は睡眠欲に負けることはないだろう。しっかりとまぶたを上げて、天井を見た。ああ、そういえばあの案件のメールに返信していなかったなとか、仕事のことを考えた先に、何も考えない時間が訪れた。ぼーっと天井を見ていると、天井を見ているのか、見ていないのかが曖昧になって溶け合いだした。スマートフォンは手の届かない位置に置いてある。耳には窓の外から聞こえてくるトラックが走る音が入り、その音と共に家全体が揺れる。その揺れさえも、自分が揺れているのか、家が揺れているのか曖昧になる。自分と空間が溶け出す。ふとんの重みがいつもより感じられる。ベッドが私の重さでへこんでいっているように思えてくる。見るという行為をしているのに、身体的なことばかりを感じ取ってしまう。天井を見て、何かを考えていたような気がするが、今はなにも思い出すことができない。

私が今やっていることは、生産性のない時間を過ごすということだ。以前、長崎県の高校で講演を行ったことがあった。講演の後に、ワールドカフェというものに参加した。これは生徒たちが問いに対してグループでディスカッションするという催しで、そのときの問いは「私たちにとって無駄は必要なことだろうか」だった。生徒たちの多くは

「ぼーっとする時間など無駄に思えるかもしれないものも、大切なことの一つだと思う」ということを話していた。しかし、私が「2時間で目的地まで行ける道と、5時間かかって目的地まで行ける道どっちを選ぶ?」と問うと「絶対2時間!」と言っていたのが印象的だった。それはそうだ。速いほうがいいに決まっている。なぜ私がその問いをしたのか、自分でもよく分かっていないのだが、私はみんなに5時間かけて行くことに新しい価値を感じとって欲しいと思ったのかもしれない。多くの人が2時間を選ぶのなら、5時間のほうにこそまだ発見できていない新しい価値があるのではないだろうか。

一見、無駄だと思えるものに、未来の価値があると、私は信じている。松下幸之助さんの言葉を引用したい。「お互いに、もうすこし謙虚でありたい。もうすこし勇気を持ちたい。そして、もうすこし寛容の心を持って、すべての物が、すべての人が、時と処を得て、その本来の値打ちが活かされるようにつとめたいものである」謙虚な心と寛容さを持てば、無用なものさえ価値が生まれると言っている。私はこの言葉がとても好きで、いつも心にとどめている。道ばたの石でさえ、無用と思えばそれまでだが、拾ってみて、何かの役にたつかもと立ち止まって考えること。何かの役に立たないにしても、色や形に魅力を感じること。それだけで、人生が豊かになる。生産性や効率ばかりをもとめるのではなくて、そこで削られてしまったものたちのことを考えることで、未来の価値は生まれるのではないだろうか。

孤独な時間もそうだ。一人でいる時間は削られてしまいがちである。一人でいるくらいなら飲み会に参加しろよと言われたり、ミーティングを入れられたりしてしまう。私みたいに孤独な時間を避けるように、忙しくしている人も多いだろう。しかし、ニーチェが孤独はふるさとと言ったように、私たちは定期的に孤独に帰らなければならない。それは義務でもあるのだ。だから私は天井を見る。孤独の不安感に襲われながらも、それに必死であらがいながら、自分と空間が曖昧に溶け合うのを心地よく感じながら、天井を見るのだ。気づけば夕方になっていた。ベッドから立ち上がった頃には、不安はどこかへ行ってしまって、さわやかな気持ちになっていた。病気が治ったわけではないが、少しだけ前進した気がする。

ふじわら・まりな（発明家・ユーチューバー・映像作家）「文學界」10月号

さいごのかずは

森田真生

幼稚園から小学校に上がる前の春休みのある日の夜、長男が「さいごのかずってなんなの?」と聞いてきた。僕は、ついにこの日が来たか! と心が躍った。

一、十、百、千、万、と少しずつ大きな数を覚えていくうちに、子どもはもっと大きな数を知りたくなる。宇宙の図鑑などを読み始めると、「億」の単位も珍しくなくなる。

「おとうさん、億ってどれくらいなの?」

とこの日息子に聞かれた僕は、「一、十、百、千……」と数えながら紙に、

「100000000」と書いて見せた。これを見てしばらく考えたあと彼は、

「ねえ、さいごのかずってなんなの?」

と聞いてきたのだった。

さいごのかずってなんなのだろう？

この問いを僕が初めて心に抱いたのは、小学生になったばかりの頃だった。なぜか僕はこれをとても切実な問いだと感じ、母に質問をしたのだった。このとき母は、いろいろと調べてくれて、一、十、百、千、万の後に、億、兆、京、垓、秭、穣、溝、澗、正、載、極、恒河沙、阿僧祇、那由他、不可思議、無量大数が続くらしいと教えてくれた。僕はこれを紙に書いて覚えて、得意になって唱えた。「さいごのかず」は「無量大数」なんだ、と思った。

無量大数は1の後に0が68個つく数だ。とてつもなく大きな数だが、実際にはもちろん「さいごのかず」ではない。無量大数に1を足せば、無量大数よりも大きな数になる。どんなに大きな数があっても、1を足せばもっと大きな数が作れる。だから、「さいごのかず」などどこにもないのだ。

僕は紙とペンを使って、息子に熱く語り始めた。「1をたす」という説明は彼にはまだ難しいと思ったので、どんなに大きな数を紙に書いても、その後ろに「0」をつけるだけでもっと大きな数が作れることを説明してみた。紙をじっと見つめながら、彼は目を丸くして、「数って、ずっと続いてるってこと!?」と大きな声で叫んだ。そして、紙の上にいくつもの「0」を書き連ねながら、「数ってなんでできたの?」「数の中身はなんなの?」「数ってなんなんだろう」と、とめどなく溢《あふ》れ出してくる思考を抑えられない様子だった。

数は、どこまでも続いていく。このことに気づいた瞬間は、僕にとっても世界のあり方が変わる衝撃的な経験だった。いま彼は、この同じ衝撃を、目の前で味わっているのだ。

息子は紙に、大きな「0」を書いた。そして、「人間の顔も0の形だよね。地球もそうだ」「ゼロは、地球を作ってもいるし、数は地球を作ってるんだよ！　数がなかったら、ものもないんだよ！」と何やら深遠そうな言葉を口にしながら、興奮した様子で、思考に耽《ふけ》り続けるのだった。

終わらない数についての、終わらない思考。僕にとってもまた、忘れられない一夜となった。

もりた・まさお（独立研究者）　「母の友」7月号

青と黒のお話

秋田麻早子

講座で色の話をすると、いつも非常に盛り上がる。その理由はよくわからないが、少しだけ考えてみた。

定番は、青い絵の具は非常に高価だった、という話で、聞いたことがある人も多いだろう。ウルトラマリンという紫がかった深い青色の絵の具は、ラピスラズリという半貴石を砕いて作られる。ヨーロッパに産地がなく、主な原産地は中東。地中海（マリン）を越えて（ウルトラ）やってくることからその名が付いた。その価値は金と同じ。

安価な合成ウルトラマリンが流通するようになる19世紀初めまで、それは貴重な絵の具であり続けた。よほど気前のいいパトロンがいない限り、絵の中でもここぞという重要な箇所にだけ、例えば聖母マリアのマントなど、に使われた。また、下塗りには他の材料を用い、ウルトラマリンは節約して仕上げ層のみに使用することも多かった。

17世紀オランダの画家フェルメールは、このウルトラマリンを青と分かる使い方はもちろん、普通はそんなことはしない、という方法でも用いた。壁や天井の梁《はり》などの背景部分にまで、灰色や茶色と混色して用いたのだ。それは、一目でウルトラマリンとは分からない贅沢《ぜいたく》な使い方。フェルメールには独特の雰囲気があるが、このウルトラマリンの多用による、青みの強さも大きな要因に違いない。

私は子供の頃、むしょうにウルトラマリンの色が好きだった。学校で使うサクラクレパスの水彩絵の具の「群青」と「青色」も素敵《すてき》な青だったが、あの透き通った青は格別。画材屋でウルトラマリンの絵の具を一本だけ買ってきて、紙に塗って見て喜んでいた。合成のものだったが、十分だった。

色の話が好評なのも、こんな風に色を見ることが純粋に楽しいから、というシンプルな欲求に理由があるかもしれない。だが、もう少し何かありそうだ。

もう一つ、貴重な材料を用いた絵の具がある。それは、象牙《アイボリー》を焼いて作るアイボリー・ブラック。もちろん、象牙はワシントン条約で国際取引が禁じられているので、今や幻の黒色絵の具だ。象牙の加工品を作る際の削りカスから作られたとはいえ、象牙と聞くと、やはり後ろめたい気持ちがする。もっとも、動物の骨・角から作るボーン・ブラックをそう呼ぶことも多い。

有名なところでは、17世紀オランダの巨匠レンブラントや、近代絵画の父と言われる19世紀フランスの画家マネが好んで使った。どちらも黒が印象的な画家だ。

アイボリー・ブラックのように象牙や骨を焼いて作る黒は真っ黒ではなく、赤みのある温かい黒と表現される。一方、植物性の炭から作る黒は概ね青みが強い。透明度も原材料によって少しずつだが違う。

青にさまざまな色調があることは、いくつか青の種類を思い浮かべて納得できると思う。それに対し、黒にも、漆黒、温かみのある黒、青光りする黒、艶のある黒、マットな黒など、微妙な違いがあることには、なかなか気づかないかもしれない。

レンブラントの黒はどんな黒だろう？　マネは黒をどう効かせているだろう？　そんな風に思って眺めてほしい。そうすると、単に黒にしか見えなかった色の、ちょっとした個性に気づくようになってくる。そんな風に感覚が拡張されるところにも、色の話を聞く面白さがあるのではないだろうか。

あきた・まさこ（美術史家）　「日本経済新聞」七月二十九日・夕刊

生きているだけで幸福

佐藤洋二郎

わたしの老母はこの夏満百歳になる。肺炎で入院し、リハビリのためにケア・センターに入所しているが、再びのコロナ禍でまた面会ができなくなった。しばらく会えなくなるので訪ねると、反対に、元気にしているかと尋ねられた。

まあ、まあかな、と応じると、それが一番と入れ歯の白い歯を見せた。あなたはと訊《き》くと、今が一番幸せという言葉が戻ってきた。小説家になると言って、苦労をかけたわたしは、そんなことはないはずだと思ったが黙っていた。

彼女の青春時代はずっと戦争で、敗戦後、福岡で父と一緒になったが、その夫も戦争から戻り、これからという時に逝った。彼女が四十歳の時だ。その後、寡婦を通して三人の子どもを育てたが、苦労なんか一つもしていない、生きているだけで幸福だと言う。

そう言う彼女は、広島に原爆が投下される一日前まで、爆心地に近い軍需産業の会社で働いていた。一緒に夏期休暇を取って戻ろうと誘った友人は残り、被災し亡くなった。友人はキリスト教徒で、同じ宗教のアメリカさんが、どうしてこんなことをするのかと泣いたらしい。母ももう一日いれば、友人と同じ目に遭ったはずだ。

その老母は百歳になると、役所から銀杯がもらえる。それでわたしにお酒を飲ませるのが目下の夢で、まもなくそのことが叶《かな》う。こちらは生きる目標を失うといけないので、百二歳まで生きた大叔母よりも、長生きしてよと言っている。もう生きるのはいいと応じながらも、後、二年しかないからねえと笑い、気力は十分だ。

こんなに長生きをするなんて不思議だと呟《つぶや》いたので、頑張ってくれたご褒美じゃないのと返すと、なんの脈絡もなく、わたしは万歳と言って逝くよと言った。それから天皇様にじゃないよ、自分にだよと付け加えた。

彼女の祖父は「二百三高地」に行ったし、男兄弟の三人も中国や南洋にかり出されたが、みな「誉れの家」にはならずにすんだ。運のいい家族なのかもしれない。しかし結婚した夫には先立たれた。いいことも悪いことも半分ずつと言うのも、彼女の専修念仏みたいなものだが、百歳の心に、どんな思いが去来しているのかと考えることもある。

そして原爆投下された八月六日は父の命日で、二十日は彼女の誕生日だ。息子であるわたしは、八月になると彼らのことを思い出し、どうしても人生を考えさせられる。ただ無鉄砲で後先を考えず、彼女に心労を与えるだけの生き方だったが、あんたはだんだんとやさしくなってきたよと言われた時には、返す言葉がなかった。

それから子は親を絶対抜けないからねと、とどめを刺すように言った。長生きした人間は、人生で掴《つか》んだ言葉を案外と持っている。彼女の呟く言葉を、いくつかの作品に使わせてもらったが、この人をそばで見ていたから、小説家のはしくれになれたのではないかと思い返した。

そんな気持ちで見返すと、彼女の乾いた小鼻がぴくついていた。それを見て、わたしは年寄りの小さな自慢も悪くはないと思った。


さとう・ようじろう（小説家）　「西日本新聞」八月七日

千里の道も地べたから

ブレイディみかこ

先日、ZOOMで雑誌のインタビューを受けていて、にわかには信じがたいことが起きた。先方の女性編集者が同じ福岡市の出身だというので、「へー、どちらですか?」と質問をしたら、出身校を教えてくださった。
「わたし、実は高校生の頃、あなたの高校の近くをウロウロしてましたよ。『Yのおばちゃんのスタジオ』と呼ばれた有名なスタジオがあって、いや、ふつうの民家の中にあったんですけどね。そこでバンドの練習をしていたので」
と答えると、なんと先方も
「ええっ!わたしもYのおばちゃんのスタジオを使ってました。バンドをやっていたので」と言う。こんな偶然があるだろうかと思った。ブライトンと福岡と東京が一瞬にして繋《つな》がった。

「利用料が安くて学生にはありがたかったんですよねー」

「そうそう、おばちゃんがたまに麦茶とか出してくれて」

と話をはずませていると、女性編集者がこう言った。

「あそこはたくさん人が出入りしていたので、学校でも問題視されていました。行くなと言われてましたもん。だけど、おばちゃんはずっと安いスタジオ料で音楽のためにがんばって……。おばちゃんも闘っておられたんです」

時は1980年代の、パンクやポストパンク全盛の時代である。あんな閑静な住宅街の一軒家に奇妙な服装をした若者たちがとっかえひっかえ出入りしていたら、よからぬ不良のたまり場と思われただろうことは容易に想像がつく。

あの時代、めんたいロックだ、日本のリバプールだ、などと言われて福岡の音楽シーンが注目されていたのは、それを育てた土壌があったからだ。有名になったバンドはほんの一握りでも、その周縁には無数のバンドがいて、その活動を支援する無数の人々がいた。何もないところからいきなりすごいバンドたちが出て来たわけではないのだ。Yのおばちゃんも、福岡の音楽シーンを支えていた一人であったのは間違いない。

ところで、その日のインタビューのテーマは、福岡出身のロックバンドの話ではなく、「女性と政治」だった。なぜ欧州では女性の政治指導者たちが数多く誕生しているのに、日本はそうならないのか。世界ジェンダーギャップ・ランキングでも、156カ国中120位というぶっちぎりの低いランク（ちなみに英国は23位。日本の上の119位はアンゴラだ）に日本がいるのも、「経済」「政治」「教育」「健康」の4分野の中で「政治」の指数が極端に低いことが原因になっているからだ。

こういう問題について書き始めると、「そげんこと言うたっちゃ、うちは母ちゃんのほうが強かばい」と言う人もいるのだが、うちの母ちゃんが強いことと、社会的に女性の地位が低いことは別物である。家庭内でいかに母ちゃんが幅を効かせていようとも、パートの職場で男性より昇進しにくかったり、昇進しない理由が「小さな子どもがいるから重要な仕事は任せられない」とかだったりしたら、母ちゃんは社会的には強くない。だって「子どもがいる」がネックになって昇進できない男性はほぼいないからだ。家庭というミクロと、社会というマクロを混ぜてはいけないのだ。

とは言え、女性の問題を考えるとき混ぜなければならないミクロとマクロもある。

例えば、男女のジェンダーギャップを縮めましょうという主旨の本を出している出版社などで、いまだに女性がお茶くみをしていたり、キッチンの冷蔵庫の整理をしている姿を見かけたりする。これらの女性たちは、それを専門の業務として雇用されている人々ではなく、事務や宣伝やデザイナーなど本来の業務は別にあり、その上でさらにお茶くみや清掃をやっているのだ。

こういうことが「当たり前」とされる環境がいまだ蔓延《はびこ》っているようでは、日本のジェンダーギャップ指数もなかなか上がらないだろう。ここではミクロな人々の意識とマクロな政治は直結しているのだ。ちょうど80年代の福岡からクールなバンドが偶然にいくつも出て来たわけではなく、Yのおばちゃんのような無数の人々がシーンを支えた土壌があってこそ有名バンドが出現できたように、足元の日常の中で人々がジェンダーの問題について考えていない場所から突如として女性議員だけが次々と誕生するわけがない。

千里の道も地べたから。地べたというのは「土」すなわち「土壌」のことでもある。福岡のロックシーンとYのおばちゃんのスタジオが日本の女性問題に示唆するものは大きい。


ぶれいでぃ・みかこ（ライター・コラムニスト）「西日本新聞」一月十日

耕せど 風は冷たい春

佐伯一麦

仙台の小高い山の上にある自宅の窓から、葉を落としている大きなケヤキの木が見える。遠目には一本と見えるが、近付くと二本が枝を交差させているのがわかる。芽吹きはまだ微《かす》かで、竹箒《たけぼうき》を逆さにしたような樹形の枝先が空を指し、早春のそよ風に揺れている。梢《こずえ》の遥《はる》か向こうは海。

ケヤキは、近所の年長の知人のHさんが、ハンモックを吊《つる》せるように、と半世紀近く前に苗木から植えたという。「ケヤキはどんどん大きくなったけれど、そのうち私も忙しくなって、子供たちも巣立ってしまい、結局ハンモックはしなかったなあ」と、印刷工場の社長をしていたHさんは言っていた。

春の彼岸を過ぎた日に、コロナ禍の日々の中で散歩するようになった道から、少しだけ脇に入った所にあるHさんの墓所をひさしぶりに訪ねた。三月十六日の深夜に起きた地震によって、ほうぼうの墓石が引っ繰り返ったりずれたりしていたが、Hさんの墓石は無事で花も供えられていた。そのときの揺れは、あちこちで物が倒れる音を聞きながら寝室の床に蹲《うずくま》っている最中には、十一年前を想《おも》わせる切迫した瞬間もあった。

家に戻れば、このところはロシアのウクライナ侵攻のニュースである。大正時代の私小説家葛西善蔵は、〈鎌倉行き、売る、売り物……〉という三題咄《ばなし》じみた落魄《らくはく》した身の上で、椎《しい》の若葉をありがたくしみじみと眺めやっていたが、〈コロナ、地震、戦争〉という災厄の三題咄の世にあって、ケヤキの大木を同様の心地で眺めては、地震の揺れのさなかには、枝先の震えとともに、幹全体も根元から大きく揺すられていたものだろうか、と思いを馳《は》せた。

Hさんは、経営していた工場が津波で大きな被害に遭い、やりきれない日々を送っていたときに、近所の崖に作っていた野菜畑を丹精していたものだった。それにならう気持ちもあって、集合住宅の狭い専用庭ではあるが、庭仕事にせいぜい精を出すことにした。そんな作業の手本は、チェコの作家のカレル・チャペックが、趣味にしていた園芸についてユーモラスな文章で綴《つづ》った『園芸家12カ月』(小松太郎訳)である。まずは、冬の間に凍《い》て付いて、すっかり硬くなっていた土を掘り起こし、培養土を混ぜて土づくりから始めた。〈土はやわらかくなった。しかし、みどりの葉はまだ見せていない。まだ、はだかで待っている土にすぎない。今こそ肥料をやって、掘りおこし、土をくだいて、耕す時だ〉と、まさしくチャペックの指南どおりに。

耕した土には、有機農業をしている知人から分けてもらった紫色の花を付けたクリスマスローズを植えた。クリスマスローズの原種の一つが、ウクライナが自生地だったことを知ったのは後日のこと。そして、チャペックは、一九三〇年代にヨーロッパを席巻しつつあったファシズムに抗《あらが》った作家であり、関東大震災の報に遠く接しては、〈二十世紀の人間は、この恐怖に直面して、神が存在するかどうか、神に質問するようなことはしない。その代わりに、人類が存在するかどうかを人類に質問する〉（飯島周訳）と記していたことに思いが向かった。

土いじりをして甘い疲れに包まれた身体《からだ》を、空想上のケヤキのハンモックに横たえる。摂氏十度を超えるようになると活動を始めるミツバチが周りを飛び交い、ときおり頬を掠《かす》めるけれど、東北の四月の風はまだ冷たい。

さえき・かずみ（作家）「朝日新聞」四月十三日

生き残った者として

田中慎弥

青山真治監督の『ユリイカ』を、公開当時に北九州の映画館で観た。三時間半を超える長尺の上にモノクロだから、入り込みやすい作りではないのだが、映画が終った時、私は、長かったな、とは感じていなかった。面白くて面白くて大感激した、というのとも違う。ただ、なんだかすごい映画だった。なんだか不思議な時間を過した。説明や分析のしづらい作品だった。遠い過去の話のようであり、逆に未来を描いているようでもあった。

作家になったばかりの頃は、自分の小説が映画になるなど想像もしなかった。単行本が出るようになり、ひょっとするとこのまま職業作家としてどうにかやってゆけるのかもしれない、と思った時も、一生に一作くらいは映画化されてほしいけどたぶん無理、と常識的に考えていた。本当にそう考えていた。

　ところが『共喰い』で芥川賞に決ったあとのことだった。一日に何本も受けていた取材と取材の合間。出版社のテーブルに置かれた紙に、『共喰い』映画化企画書、の文字を見つけた瞬間の記憶は、いまでも鮮烈に残っている。そしてこの企画の段階ですでに、青山真治監督の名前があがっていた。映画というものは企画はいくらでも出るが、それが実現することはめったにない、という知識くらいはあった。しかし、あの『ユリイカ』の青山さんの名前がそこにある。世界で評価されているすごい人だ。なんとしてでも映画化してほしい、と強く思った。加えて、青山さんは北九州の出身、関門海峡を挟んだ対岸の下関生れである私も幼い頃、北九州に住んだ時期があり、大人になってからも、それこそ映画を観るために、北九州の小倉をしょっちゅううろついていた。これは縁だ。

　その後、話は順調に進み、脚本も送られてきた。十年後のいまとなっては信じられないことに、そこに載っている主演俳優の、菅田将暉、という名前をいったいどう読めばいいのかさえ、まだ知らなかった。ともかく、本当に映画になるのだ。そう実感して、芥川賞を貰った時より嬉しくなった。

　二〇一二年の九月、北九州のロケ現場にお邪魔した。小説も映画も、土地の設定は下関だったが、下関も含めて様々にロケハンした結果、撮影そのものは北九州、という選択になったのだそうだ。

　現場でたくさんのスタッフに囲まれた青山さんは、大柄な人だった。柔らかな笑顔の人だった。その頃の私は、いまよりもっと狷介な、取っつきにくい人間だと見られていたので、そういう相手に対しての社交的な笑顔なのかと思ったが、どうやらもともと穏やかな人柄なのであるらしかった。映画監督というものはやたらと怖くて偉い人、というのは古い見方に違いない。いま時それでは、現場は回らないのだ。主人公が鰻を釣る場面を撮っていたその時の現場の雰囲気も、勿論緊張感が満ちているが、険悪な感じはしなかった。それはスタッフが監督を信頼していればこそだったのだろう。一人で原稿に悩む毎日の私にとって、眩い別世界だった。自分の小説を映画にする作業が目の前で行われているのに、自分と関係のない、ものすごく豊かな創造の現場を、遠くから見ているようだった。

　完成した映画を試写で観た時、人生なんてつまらなくて当り前、と日頃から平気で思っている私が、生きているというのはなかなかいいものだ、とあっけなく寝返ってしまった。

　それから映画公開までの間、様々なキャンペーンに顔を出し、青山さんと対談もした。三島由紀夫賞作家でもある青山さんは、映画、小説、そして音楽について語り、私はついてゆくのがやっとだった。そのあとの酒の席でもいろんな話をした。これなら明かしても、青山さんは許してくれるかな、と思うことを書くと、川端康成の『雪国』に一度手をつけはしたのだが、ラストが無理だ、ということだった。あのラストは小説ならあり得るが、映画としてはあり得ないのだと。そう言われると、青山版の『雪国』がどうしても観たくなり、絶対やって下さいよ、と酔いに任せて私は言った。青山さんは、あの柔らかな笑顔になり、しかし最後まで決して頷かなかった。

最近、『共喰い』の暴力や性の要素は、ひょっとすると映画よりも歌舞伎と相性がいいかもしれない、などと思う。舞台の演出も手がけたという青山さんに、そのことも訊いてみたかった。『雪国』についても、もう一押ししたかった。

あの日、北九州のロケ現場に居合せた人たちが再び顔を揃えることはもうない。『共喰い』はレクイエムだ。時間は過ぎ去り、人はいなくなる。この春、日本文学は西村賢太を失い、日本映画は青山真治を失った。生きるということは、生き残っているということだ。持ち時間が、音を立てて少なくなってゆく。

たなか・しんや（小説家）「すばる」6月号

〝オンラインアグネス〟、登場

酒井順子

オミクロン株が広がり、在宅勤務をする人がまた、増えてきました。在宅で会議をしていると、それぞれのプライベートが時に顔を出すわけで、子供の泣き声が聞こえてくるのもまた微笑《ほほえ》ましいもの。……ですが、ある友人が、

「同じ部署の男性がこの前、赤ちゃんを抱っこしてオンライン会議に参加したのには、驚いた」

と言っていました。

彼女が勤める企業は手厚い子育て支援策を用意しており、男性も育児休暇をとったり、育児に伴う時短勤務をするのが当たり前とのこと。子育てしやすい職場だからこそ、男性が赤ちゃんを抱っこしながら会議に参加できたのでしょう。1980年代末、アグネス・チャンさんが仕事の現場に子供を連れて行ったことの是非が問われた「アグネス論争」

がありましたが、今はオンライン会議の場に、男アグネスが登場していたのです。

すでに成人した子供を持つその友人は、男アグネスに対して反感を覚えたようです。

「私の頃は、子供ができたら会社を辞めざるを得なかった。それが今や、妻も働いていれば夫が赤ちゃんを抱っこして会議に出られるのは、なんか納得いかない。男アグネスの子育てアピールが激しいのも、ちょっとイラついた……」

とのこと。

彼女が出産した頃は、子育ては母親がするのが当然でした。しかしその後、世は激変し、「仕事も、結婚も、子供も」という人生が当たり前に。友人は子育てが一段落した後に再就職したのですが、そんなワーキングママ&パパ達と共に働くうちに、彼女も「本当は私もそうしたかったのに」と思ったのでしょう。

彼女の不満は、まだあります。育休や時短勤務によって子育て世代が完遂できなかった仕事は、彼女に回ってくるのだそう。しかし彼女は、子育て終了後に契約社員として入った身。うんと年下である子育て世代の仕事を引き受けているのに、会社での立場やお給料は自分がうんと下、ということにも、もやもやしているのです。

働きながら子育てがしやすくなり、男性も子育てを担うようになったのは、良いことです。彼女もそれはわかっているけれど、子育てによってキャリアを分断された我が身をかえりみれば、男アグネスに対してはやはり、疑問を抱いてしまう。世代間の分断が、そこには生まれているのです。

子育て世代を世の中全体で支えよう、というのが今の考え方です。しかし一方には、「私の子育ては誰も支えてくれなかった。夫さえも」と思う世代もいる。

それが正しい方向への変化であっても、世が激変する時にはひずみがかかる人々が必ずいることを実感した私は、

「でもさ、あなたの子供達は立派に育ち上がったんだから、いいじゃないの」

と言ってみたものの、これから男女を問わず〝オンラインアグネス〟達が増えるであろうことを考えると、彼女の不満もまた募るばかりであることが予想されるのでした。

さかい・じゅんこ（エッセイスト）　「京都新聞」一月二十七日・夕刊

犬の暮らしの手帖

七尾旅人

我が家では2匹の保護犬を育ててきた。血は繋がっておらず、犬種も異なるが、実の兄妹のように仲が良かったので、Twitterでは兄犬と妹犬という通称で、2匹の暮らしを紹介してきた。私たちの暮らしは犬を軸に成り立っていた。犬と共に眠り、犬に呼ばれて目覚めた。散歩ではセオリーどおりに犬をコントロールしようとせず、彼らの行きたがる方向に歩いた。子供の目線よりさらに低く、地べたに近い犬たちの瞳が捉えるもの。それは発見に溢れた道行きだった。

昨年の暮れ、長い闘病の末に、兄犬が他界した。生まれつきの障害を抱え、他の犬が簡単にこなせることが何も出来ない不器用な子だったが、彼はお日様のように明るく前向きで、我が家の中心だった。家の中は火が消えたように静まり返った。独りぼっちで眠る妹犬の心情を推し量ろうとしても、兄犬のようには上手く解ってあげられないのだった。不安定な彼女を、兄犬がいつも包み込んできた。幼い頃に殺処分されかけた妹犬は、引っ込み思案でおびえがちだった。内心では家族につよい愛着を持ちつつも、物静かに部屋の隅から隅へと渡り、単独行動を好んだ。

そんな妹犬が、兄犬の死から、その暮らしを変え始めた。朝と昼だけでなく、嫌っていたはずの夜間の散歩にも出たがるようになり、昼夜を問わず兄犬を探しまわるようになった。彼が好んでいたあらゆるマーキングポイント、はては竹藪や側溝に至るまで。気のすむまでと思い、毎日幾度となく表へ出たが、1カ月を過ぎてもこの捜索は続いた。

私たちは、兄犬の死をどのように受け止めて、歩き出せば良いのだろう。この子には新しい兄弟が必要なのではないか？　時期尚早かという葛藤もあったが、家族探しに踏み出した。けれど、あちこちで様々な犬を見せても、妹犬が良好な反応を示すことは一度もなかった。

ある日、妻が動物保護団体のサイトで兄犬と同じシュナウザーの子犬を見つけた。コロナの影響で失業し、追い込まれた飼い主が手放した犬だという。会いに行くことにした。この子犬は人に吠えると聞いていたが、私と妻のことはひとめで気に入ってくれたらしく、まるで元の飼い主を見つけたかのように、腕の中へ飛び込んできた。だが、妹犬に対しては大変な剣幕で吠え続け、私たちの中で懸念が膨らんだ。しかしなぜか彼女は、吠えたてる子犬を見て瞳を輝かせ、大きくうなずいた。初めて見せる反応だった。トライアルとして一時預かりすることに。打ち解けられるか不安だったが、数日を経るうちに、妹犬が母犬のような表情を見せ始めた。散歩でもリードし、まずは近所の風景を見せ、やがて海を見せ、3週間が経つ頃、兄犬が最も好んでいた桟橋の遊歩道まで、子犬をいざなった。

この子犬は保護施設では札付きの問題児だったそうで、普通のことはまだ何も出来ないが、とても明るく前向きな性格で、小さいお日様のようだ。妹犬は母犬となって、新しい太陽を育てていくつもりらしい。

ななお・たびと（シンガーソングライター）「暮しの手帖」18

木を見て、鳥も見ること

荒俣　宏

わたしが冬ごもりの地と決めている熱海では、もう年明けから桜まつりが始まる。熱海には明治時代から超早咲きのアタミザクラがあり、市内の糸川に沿う坂道あたりでは、正月に桜が咲きだすのを見ることができる。寒さのせいで花もちがよいため、1カ月以上も花を楽しめる。

だが、2月に入るが早いか、こんどは全国に知られたカワヅザクラが、本家の河津で満開になる。熱海から河津は近いから、じゃあ河津へ行こうか、となる。こちらも市内を流れる川沿いに桜のトンネルができて、まことに壮観だ。花も大きく、地面に咲く菜の花の黄色との取り合わせもすばらしい。毎年たくさんの花見客を誘うわけだが、今年も開花が早まりそうだから、花見祭の開始を10日ほど前倒しするというお報《しら》せまで回ってきた。

たとえばソメイヨシノという品種は、太平洋戦争後に全国でほぼ一斉に植えられたという。巨木に育つソメイヨシノを明治政府が山桜に代えて花見の桜として推奨したことがきっかけという。しかし、この品種の寿命は60年ほど。そろそろ一斉にソメイヨシノが枯れてしまい、桜の名所は激減するというショッキングな話が、20年前ごろにささやかれた。ソメイヨシノは実を結ばず、いわばクローンで増えるので、桜並木などを作りやすいのだが、枯れるのも同時になる危険がある理屈だ。

これは由々しきことなので、わたしも関心がわいて、京都の桜守として名高い16代目佐野藤右衛門さんのところへ取材に行ったことがある。そのとき藤右衛門さんは、人が創《つく》った桜は人がしっかり面倒見ないと、60年どころか、30年で枯れてしまうかもしれませんよ、と教えてくれた。そして、「ねがはくは花のしたにて春死なむそのきさらぎの望月のころ」という西行の歌を引いて、西行が「如月《きさらぎ》の望月」すなわち旧暦2月の、桜の花が満開になる満月の夜のころに死にたいと望み、その希望通りに死ねたのは、桜をよく知っていたからだ、と語った。

桜は満月に満開となり、これを目指して鳥たちが蜜を吸いに集まるのだ。鳥媒花《ちょうばいか》とでもいうのか、早咲きの桜は花粉を運ぶ虫がまだ出ていない時期に花を開くので、鳥に花粉を運んでもらうほかない。鳥もまた、満開の花の蜜に引かれて、よく集まる道理だ。

以後、わたしは桜に集まる鳥を見るのが楽しみになった。飽きずに眺めるうちに、メジロとスズメの蜜の吸い方が違うことにも気づいた。メジロは花の中に嘴《くちばし》をさしいれ、顔を花にうずめて蜜を吸う。ところがスズメは、花の外側をつついて落としてしまう。しかも、小柄なメジロを追い払う。嘴の太いスズメは花の表からでは蜜を吸えず、花の裏側をつつくらしい。これでは受粉ができないではないか。

気になって調べたら、こんな情報を見つけた。「スズメが桜の蜜を吸うようになったのはごく最近のことらしいが、ソメイヨシノは実ができないので、花を落とされても影響はない」と。なるほど、やはり人工の植物はちがう。

あらまた・ひろし（作家・京都国際マンガミュージアム館長）　「京都新聞」三月十六日・夕刊

あるがままを登る

服部文祥

フリークライミングはオリンピック競技に採用され、多くの人が楽しめる運動として認知されたようだ。だが、スポーツクライミングは厳密な意味でのフリークライミングではない。フリークライマーがトレーニング方法のひとつとして考案した人工壁（クライミングボード）から生まれたのがスポーツクライミングである。

クライミングの元になった近代登山は、高山に人類は到達できるのかという純粋な試みから生まれた。だから山頂に到達できれば科学技術を持ち込んでも構わなかった。世界中の山が初登頂されていく先で、人は既登の山へ、より難しい切り立った岩壁から挑みはじめた。

岩壁を克服するためにいろいろな工夫が考案された。最初は細長い丸太を岩稜《がんりょう》に担ぎあげ、険しい岩の段差に立てかけ、その丸太を助けに難所を越えた。丸太が木のクサビや鉄のハーケンに変わり、最終的には岩にドリルで穴をあけ、ボルトを打ち込むという方法にまで発展する（人工登攀《とうはん》）。ボルトが誕生して、理論的に登れないところがなくなった。

ここで「人工登攀」は作業であって登攀ではないと考える人が出てきた。対象が岩壁でもビルの壁でもやることが同じになってしまうからだ。岩を自分に都合のよいように加工するのではなく、元々ある突起や割れ目などの岩の形状だけを利用して、自分の手足だけで登ることが「登ることだ」と彼らは考えた。これがフリークライミングのはじまりである。フリークライミングの「フリー」はフリーハンドのフリーと同じで、そのまま訳すなら「素登り」になる。

岩の形状を自分の身体でなんとか利用し、バランスが取れる動きを組み立てながら登る。それは身体全体で考える創造的運動で面白かった。

もし登れなかったら、帰って、自分を鍛えて、出直す。その姿勢は行為者にとってもフェアで気持ちが良かった。

自然環境は有限であり、岩壁を人工的に「壊して」登っていては、いつか対象がなくなってしまう。だがあるがまま登るフリークライミングは持続可能だった。

山岳地帯に道ができたり、ロープウエイが架けられたりすれば、山頂からの風景を誰もが平等に楽しめると喜ぶ人は多い。登山者すら道が拓《ひら》かれたり、山小屋が整備されたりすれば、登りやすくなったと考える。だが、フリークライマー的に考えるなら、登頂効率を考えて都合のいいように山を加工してしまったら、もうあるがままの山には誰も登れないことになる。

整備して加工してだれもが結果を享受できるのが平等なのではなく、誰もが結果に向けて努力できるようにそのまま残しておくことが「真の平等」だというフリークライミングの考えは「持続可能」がキーワードになっている現代に本質的な提案をしている。

はっとり・ぶんしょう（登山家）　「讀賣新聞」一月五日・夕刊

隠れマッチョ

内田春菊

たとえばホームセンターに行き、ネジのコーナーの男性店員に、「これ使えなくなって」と古いのを見せたとき、「これは見てわかるようにつぶれてしまっていて」と眉間に皺《しわ》でスピーチ始められた経験がある。靴の修理店の青年に、直すのがどんなに大変かについて延々説明されたりもする。こっちがその人の技術とか知識に感心しないと先に進まない。私の方がお客のはずなのだが、だんだん接待させられてる気がしてくる。

タクシーにあまり乗らない理由のひとつに、運転手の自分語りに疲れるからってのがある。子が小さい頃どんだけ「俺の子育て論」聞かされたか。移動中の車の中くらい子と話したいのに、「当然仕事してないんでしょ?」と言われたことも。すごかったのは、女2人で乗ったら「おねえさんたち学校の先生?」から始まって、「四年制大学出た嫁が来ちゃって、ありゃダメだ! 女は『ありがとうございます』って言ってりゃいいんだよ」。

絶句しつつ早く着いてと祈るしかなかった。

そんなトークの浴び過ぎで、私はすっかり「それもまた一興」と思えない人間になってしまった。心からめんどくさい。これは男特有の何かなのではないか。女にもたまにいるけど珍しい。彼らは何故《なぜ》、客である私に「俺の方があんたより勝ってる」というのをチラチラさせるのか。張り合うシーンを間違えちゃいないか。

見るからに偉そうなら、お店などでは回れ右すれば済むが、最近わかりにくいケースも多くなって来た。最初は普通に親切なのにだんだんそうなっていく。あれ？　こないだと関係性が変わっているなと気づいた時の悲しさ。いや、勘違いかも？　と迷っているうち、「やっぱおかしい」となったときはもう戻れない。相手は無自覚なのである。

ニコニコして物腰やわらか、だけど私の持ち物を見て、「それ、同じの持ってますけど、私のやつの方が大きいですね」と言うから、あ、そうなんですね、と答えて、ずっとあとになって同じ大きさだったとわかった。相手も気づいたはずなのにスルー。どうでもいいけど、もしかして張り合ってる？

仕事相手でも、最初は普通だったが、ある日メールで、「明日は天気が悪くなるそうなので」のあとが「ご自愛ください」でなく「体調に気を付けたいと思います」だった人もいた。自分かよ！　と思ったが「気圧の変化に弱いのでしたらそれに効く市販薬もあ

ります よ」と親切にしてみた。ご想像の通り逆効果で、すぐに自分の話しかしなくなった。そんな相手と話が弾むわけもなく、業務連絡だけになり、信頼関係は破綻。

私は男のそんな「何か」を「隠れマッチョ」と名付けてみた。ものすごい悪口のつもりでいた。が、ある時もらった男の料理本の中に「料理はマッチョな趣味なのだ」という意味で書いてあって驚いた。それもその本はたくさんの人に読まれているという。なんか、脱力。

とはいえ上から目線になったり、張り合ってしまったり、というのは不安な人が思わずやってしまう行為。私にそんなマウンティングを仕掛ける人が、別の人にはとても心優しいこともある。となると、そのトリガー的なものが私にあるの？「こんな女には、俺の方が上ってこと教えとかないとならないしな」と思わせてる私のそれとはいったい何なのだろう。

うちだ・しゅんぎく（漫画家）「日本経済新聞」一月十八日・夕刊

「石原慎太郎」という物語

青来有一

石原慎太郎氏が、国会議員を辞職、政界引退を表明されたのは1995年だった。99年に東京都知事として政治の現場にもどるまでの4年ほどの間、石原さんは文芸活動に力を注いだ。昭和のスター、裕次郎の思い出を書いた「弟」はベストセラーになり、芥川賞の選考委員にもなられた。

「泥海の兄弟」は私の3度目の芥川賞候補作品だが、石原さんは選考委員としてこの小説を読んで注目をしてくださるようになった。

暴力団に凄惨《せいさん》なリンチで弟を殺害された兄が復讐《ふくしゅう》をする物語だ。中学生の頃、その兄の息子と仲良くなった「私」が当時を思い返しながらその顛末《てんまつ》を語っていく。安っぽいアクション映画のようだと批判された。当時、純文学に物語のおもしろさをもちこめないかと考え、そうした批判は覚悟していた。物語のおもしろさなら洗練された語り口の娯楽小説がたくさんあるが、「純文学」にあえて「不純なもの」を持ち込んでみたかった。石原さんも小説に「おもしろさ」を求めていて、通俗的であることを拒まない、同じような小説観をもつひとりの作家を後押しする思いもあっただろう。ただ石原さんはやはり「泥海の兄弟」という小説そのものに関心をもたれたのではないかと思う。

確かに昔の日活アクション映画にでもありそうな安直な話だが、日活アクション映画の全盛期のスターは石原裕次郎なのだ。その弟は実生活では兄の手に負えない放蕩《ほうとう》ぶりだったらしく、石原さんは自分たち兄弟のイメージをこの小説に重ねたのかもしれない。しかも舞台は海だ。湘南ではないが、有明の泥の海だ。弟の復讐で深手を負った男を乗せた船が、月明かりに照らされながら漂っていくというイメージも、海とヨットを愛した作家の感傷を疼《うず》かせたとも考えられる。

石原慎太郎というひとは自分が石原慎太郎であることに驚き、困惑していたのではなかったかとも思う。「太陽の季節」の芥川賞受賞で世の中は沸き立ち、弟は映画スターに駆けのぼり、自らも人気作家となって、政治の世界へも踏みこむ。まさに時代の寵児《ちょうじ》だ。もちろん才能や努力なしには考えられない成功だが、それだけで成し遂げられるわけでもない。そこに人知を超えたなにものかの意図と力を感じ、石原慎太郎という物語を生きているのではなく、生かされているといった感覚があったのかもしれない。時に奇妙な神仏の力に関する言及もそのあたりに根っこがあったのではないか。石原さんの「わが人生の時の時」には、弟の裕次郎が船から海に落としたライターを見知らぬ女が届けにきたという怪異譚《たん》があるが、未知のなにものかへの畏怖も抱えこんでおられたようにも思える。

長崎を訪れた石原さんに招かれてホテルのバーでウイスキーをふたりで飲んだことがある。秘書を先に部屋に帰らせたあと、リラックスしたなごやかな先輩作家の顔になり、次になにを飲むのかしきりに気づかってくれた。仕事をしながら書くのはつらいと泣き言めいたことをもらしたら、そのつらさに陶酔もあるだろうとグラスを手に人懐っこく笑った。

石原慎太郎という賛否様々、波乱万丈の物語を演じる俳優の、幕間《まくあい》の素顔をあの時かいま見た気もする。

せいらい・ゆういち（作家）　「西日本新聞」二月十日

みなしご

小池昌代

誰にでも親がいるということが、今更ながらに不思議に思われる。皆、一人で生きていて、一人で生まれてきたような顔をしている。わたしもそうだった。親は子供の生に無意識の圧力をかける。言わば「鍋の蓋」のような存在だから、なるべくなら意識の外へ出して自由に生きたい。若い頃、わたしは天涯孤独にあこがれていた。

ここ数年のあいだ、両親が続けてあの世に旅立った。わたしは還暦を過ぎたが、「みなしごになりました」などと言って、数人に報告した。その言い方に、あははと笑ってくれる人もいた。わたしも笑った。笑わせるつもりはなかった（いや、少しはあったかな）。わたしは親がいるあいだは彼らの「子」だった。けれどついにようやく、わたしは前から来る風を最初に受ける、単なる一人の人間になってしまった。おとうさん、おかあさん、という言葉を、生活のなかで最後に使ったのはいつだっただろう。そのときを意識もせずに過ぎてしまった。ある特定の言葉には、使用期限があるのを知った。知って泣いた。

今、これらの名称は、呼びかける相手を失い、宙空《ちゅうくう》に浮かぶ墓のようだ。言葉もまた、墓になるのか。別の言い方をするなら、言葉がその実体を失った、あるいはその言葉が、生命を失い軽くなったということだろうか。感覚的な話だ。そんな気がするというだけ。言葉を、わたしたちは感覚で測りながら使っている。今、ここになくても、檸檬と言えば檸檬のあの重さが、鋭い酸味が、尖ったかたちが、今ここに、ありありとよみがえるように。

生きていた人がいなくなるということは、「え？」としか言い表せないくらい驚くことで、亀だったら、「虚《きょ》」と一言、つぶやいて立ち去るところかもしれない。しかしこんなことを書いているわたしも実際は、日々、別に驚いた顔もせず、淡々と暮らしている。

近所の神社にある木が窓から見える。四季折々、いつもその木を見てきた。風が吹く日の木の姿は怖ろしい。全体が炎のように揺れ、枝葉が狂い踊る。見ていると胸騒ぎがする。距離が離れているから音は聞こえない。異界がそこに開けていると感じる。木を見ることは習慣というほどのこともなく誰に言ったこともない。ただ、そこにあるから、見てしまうというだけのことなのだが、あの木を見るとき、無心だった。自分の心を洗っていたような気がする。

実家には、梅の木がある。母が生前、人から貰って植えたもので、毎年、たくさん実をつけてきた。五月、六月が収穫のとき。夏には葉が生い茂り、秋から冬にかけ、葉が落ちるが、剪定すると春には薄桃色の花が咲く。繰り返し繰り返し。いた人がいなくなることにも驚くが、変わらず花が咲き、実がなることにも驚く。わたしたちは毎年、梅の木に教えられる。枝々のあいだに青い実を見つけると、同じように見上げたに違いない、ここにいない人の眼差しを感じる。わたし自身の目の奥に感じる。

こいけ・まさよ（詩人・作家）「暮しの手帖」19

末裔の足裏

久栖博季

北海道という大きな島のことで忘れられている「何か」を書こうと思って、はじめに浮かんだのはどういうわけか自分の足の裏のことだった。私の左足の裏には、細長い形をしたほくろがある。小さな子供だった頃はまだ体がやわらかかったので、その軟体動物めいた柔軟さで床に座ったまま片足を曲げたり捩ったりして、自分の顔のすぐそばに足の裏をもってくることができた。それで、ほくろを見つけたのだ。背中と腕に生まれつきの大きな痣があったので、ほくろの一つくらいたいして気にもならなかったけれど、その頃まだ生きていた母方の祖母が、亡くなるまでの数年のあいだ、始終孫の足裏のほくろを気にしていた。今はもう跡形もなくなった祖母の家の一階の半分が叔父の建設会社の事務所で、玄関へとつづく門を入ってぐるりと広い敷地を回ると、大工さんたちの作業場所があった。鉋掛けをしたばかりの真新しい板から木の匂いがして、そのせいか祖母や足裏のほくろの思い出を辿っていると木の匂いがしてくる。作業場所の木の匂いには必ず人間の匂いがまざっていて、それは森の木の匂いとはちがった。森の木は木の匂いというより土と苔の青い匂いがした。少し背筋が寒くなって感覚がぴりっと澄んだ。ささくれた幹からは虫の黒い影が滲んできた。夏なのに濃い霧が出て肌寒かった。拾い上げた枝や小石、動物の骨、どれも水気を含んでしっとりと冷たかった。大人になった私は、斜面に盛り上がっている太い木の根につまずかないように気をつけて歩いた。木の根をしっかり摑むように靴の中で五本の指を広げてから、足の裏をまるめるようにぎゅっと力を込めた。たぶんこの足の裏にも子供の頃と変わらず、ほくろがあった。孫の足裏のほくろを始終気にしていた祖母が、大工さんたちの作業場所で靴を履き替えるのだとわめき出した私を「時間」から引っこ抜くみたいにひょいと抱き上げた。脱げた靴が地面に落ちた。当時、子供心にガラスの靴だと信じていたゴム製の靴だった。半透明の樹脂を編んだように組み合わせたデザインで、足の甲のあたりにプラスチックの飾りが光っていた。抱き上げられたままグーパーして裸足の指を動かしたら「猿みたいだわ」と祖母が言った。足を祖母に絡みつかせた。子供のやわらかい足はぐにゃぐにゃと本当に猿みたいに器用に曲がるから、私は足の裏で祖母の骨ばった体をぎゅっと摑んだ。動物に喩えられてうれしかったのだ。スニーカーに履き替えて祖母と長い坂道を歩き、何を買いに出掛けたのか今となってはもうわからないけれど、帰り道の下り坂で私の手にはシャンプーのボトルが握られていた。キャップに動物のマスコットのついた子供用のシャンプーで、散歩の終わりに私はいつもそれを持って風呂場に向かった。黒い石のタイルに手桶で浴槽からじかに汲んだお湯が流れていった。この頃の祖母の家にはまだシャワーがなかった。祖母の家だけではなく、自宅の浴室にもシャワーなんてなかった。お湯が流れてこない時、足の裏にタイルが冷たい。目に滲みるから洗髪が苦手だったけれど、足の裏が冷たいままなのも嫌で結局は祖母にシャンプーをされていた。子供の私はわざと暴れて黒いタイルをほくろのある足の裏で何度も踏みつけた。シャンプーの泡を乗せた湯が通ったから、それはもう冷たくはなかったはずだ。あたたかさが足の裏をくすぐった。目を閉じたままその感触のあとを追いかけていった。大雨の降ったあとの森の木からは、特に強く土と苔の青い匂いが立つ。私はこの前の嵐で新しくできた倒木を数えるのに山道を歩いていた。斜面に生えた木がその根で摑みきれなかった土をこぼしていた。剝き出しになった根が一瞬、死の床の祖母の痩せた手指と重なった。木の根が土に滲み込んだ雨水の出口となり小魚の跳ねるように水を滴らせていて、驚くほど澄んだ水が土と小石の色を透かして地を這っていた。道の真ん中でカラスが真っ黒に群れていたのでよく見ると死んだ狐の肉がついばまれていた。頭部はどこへ運ばれたかすでになく、引き裂かれめくりあげられた毛皮の下に覗く肉には血の気がなくて白く見えた。

私はおそらく明治になって本州からこの大きな島へ渡ってきた移民の末裔で、山道を歩いていると、途切れ途切れに知らない記憶がまぎれてくるように思われることがある。末裔の体にはいろいろな記憶が折り重なっているのだろうか。私は自分の感覚の上をひとりで移動していく。すると、子供の頃の些細な記憶と、ほんの少し前の山歩きのことが、こうも折り重なって順繰り順繰りに思い出され、自分のことさえあやふやになる。そうしてゆらぐ現在で「先住」とは何かを考えれば、まなうらに狼、毀された文化が破片になって土に馴染む考古時代、それから化石の時間。たくさんの存在が折り重なって複雑に層をなす時間が、この大地に流れていくから「先住」がどんどん遠くなっていく。もしかしたら、この土地の主役は人間ではないのかもしれない。二〇一八年に北海道命名一五〇年というのがあったけれど、こういう時間の括りはわかりやすいだけで、この大きな島には馴染まない。私の足の裏は、いくえにも折り重なった時の襞を踏み、消えた存在の感触を探している。私は足裏のほくろの思い出を辿る。子供の時ほどやわらかくなくなった体を苦労して折り曲げながら自分の足の裏を見た。思いのほかしわくちゃで、いつか祖母に猿みたいと言われた足。久しぶりにほくろを探したら、それは左足にではなくて右足の裏にあった。

くず・ひろき（作家）　「文學界」4月号

夜の釣り堀

柚木麻子

四十歳になってから、とくに理由もなく、一睡もできないまま朝を迎えることが頻繁にある。ちなみに昨日もまったく眠れなかった。これはまずい、とあらゆる病院にいってみて、色々な方法を試した結果、漢方薬で徐々に体質を改善していくという方向に今のところ落ち着いている。睡眠導入剤は私には強すぎて、翌日、仕事にまるで集中できなくなるのだ。はじまりは去年の秋。全然眠れない夜がなんの前触れもなく、三回続いた時は、ショックとパニックで自分が自分ではなくなり、最後はデビッド・リンチ的な幻覚に悩まされ、何故か暗闇にぼんやりと小さなワニが浮かび上がるようになったほどだ。実は来るべき時が来たという気もしている。というのも、私の母も、亡き祖母もなかなか眠れないたちで、しかもそれは四十代から始まっているのだ。三代目不眠SOUL SISTERSである。

祖母は完璧主義で冗談を好まない、かなり神経質な女性だったので、社交的でモード系おしゃれを好む芸術家肌な母とは昔から確執があったようだが、どちらも私とは仲が良かった。正反対かに見えた二人だが、寝つきが悪い、寝てもすぐに起きてしまうというところだけは共通していた。小さな頃から、母が寝た後は、できるだけ物音を立てないように過ごさないと、泣いて飛び起きられて叱られた。祖母もまた、入眠までには長い長い儀式があり（マッサージや錠剤を飲むなど）、一つでも飛ばすと朝まで眠れなくなってしまうから、とタイガーバームを肩や首に塗り込みながらも、まるでこれから戦いに出向くかのようにピリピリしていた。当時の私は、二人はちょっと気にしすぎなのではないか、と思っていたが、今ならわかる。四十歳をすぎた人間にとって、寝ないで迎えた朝は、恐怖と絶望ですみずみまで青ざめた色をしている。胃も肩も背中どころか眼球まで痛い。

私も寝る一時間前は、よくそれがいいと言われているように、スマホもテレビも禁止だ。眠くなるストレッチに頭皮のマッサージ。薬用養命酒入りのホットミルク。最近はヤクルト1000も加わった。もはや死活問題なので、私の入眠儀式もどんどん長くなっている。それでも、灯りを消し、その日の暗闇がかぶさってきた瞬間、あれ、もしかして、眠れないいんじゃないの？という懸念が、ふっと芽生えたら、その時点で私の負けだ。どんなに可能性を打ち消しても、百パーセントそれは当たってしまう。一時間を過ぎたあたりから、その予感はどんどん大きくなり、部屋全体に広がっていって、やがてそれに押しつぶされて仕方なく横になっている格好になる。一度でもそんな夜を過ごした人であれば、寝返りを打つことさえ、だんだん怖くなっていく感じ、真っ暗な部屋が次第に緑色っぽくなってきて、カーテンから白い空が見え、鳥のさえずりを聞いた時の絶望を、共有できると思う。母も祖母も、こんな時間を数え切れないほど過ごしてきたのだな、と思うと、二人の人生というものを思い浮かべずにはいられなくなる。特に今はもう会えない祖母と、眠れない夜についてたくさんしゃべってみたかったと思う。

いつかは死ぬのに、また今夜を無為に過ごしてしまったことが悲しいし、眠るという普通のことさえ普通にできない自分が惨めだし、なにより、今日の仕事や家事育児をこの寝てない身体と精神状態でこなすことを考えると、このあと起き上がるのが心底恐ろしくなってしまう。しかし、次の瞬間は眠れるかもという淡い期待を手放せないせいで、割り切ってこの時間を何か有効につかおうと身体を起こすだけの勇気もない。横になったまま何か役に立ちそうなことを考え始めると、それはそれで将来や仕事の不安からよりいっそう眠れなくなる。

そんな時、ふいに思い浮かぶ光景がある。暗いお風呂の水面に浮いた、ブヨブヨした質感の魚や貝殻の形のゴム製おもちゃだ。私が小学生の頃、初めて、祖父母の家に一人で泊まった夜のことである。

夕食がすみ、お風呂に入るまでは、いつものように楽しく過ごしていた私だが、父や母よりずっと早くベッドに入る祖父母に促されるうちに、急に寂寥《せきりょう》感でいっぱいになった。そして一心不乱にタイガーバームを塗り込んだり、手袋をはめたり、靴下を履く祖母を眺めているうちに、母に会いたくてたまらなくなった。暗くなると、祖父はすぐにいびきをかき始めたのだが、私はタイガーバームのキツいにおいを嗅ぎながら、さっぱり眠くならず、だんだん焦っていた。今の私からすれば、そんなの眠れないうちに入らないのだが、子どもの私にとっては、横になっても一向に瞼《まぶた》が重くならない時間は恐怖でしかなく、家が恋しくなって、いつの間にか、ぐすんぐすんとすすり泣きから次第に声をあげて泣いていた。その時、祖母が「ねえ」と話しかけてきた。「お風呂場にいってみようよ」と言うので、素直に彼女の後をついていった。祖父母のお風呂場には白い小石がしきつめられていて、ひんやりして、川の底を歩いている気持ちになる。お風呂場には、先ほど、祖母と一緒に使ったお湯に、彼女が最後に「これ、水につけると大きくなるんだって」といっておもむろに取り出した小さな魚や貝のおもちゃが浮かんでいて、先ほどより一回りくらい大きくなっていた。暗闇にゆらゆら浮かぶそれは、本当に生きているみたいで、ちょっと怖かったのだが、あまり面白いタイプではない祖母が私を楽しませるためにおもちゃを用意してくれた事実は嬉《うれ》しく、気が紛れた。もう一度、寝室に戻って、祖母の冷たい両足に自分のを挟みながら、なんとか寝る努力をしてみた。やはりまったく眠くはならないので、「もう一度、魚を見に行ってもいいか」と頼んだ。どちらかといえば、厳しい祖母なのに、「いいよ」といい、私たちは何度かそれを繰り返した。魚と貝はどんどん大きくなっていった。とりわけタコは見るたびに赤くふくれていて、吸盤らしきものも飛び出し、本物そっくりだった。結局、私がいつまで経っても寝ないので、母があわてて迎えにきたような気もするし、そのまま眠ってしまったような気もする。でも、何度も何度も一緒に冷たいお風呂場に足を運んでくれた、祖母の血管の浮き出た大きな手や、ゆっくりした歩き方、そしてタイガーバームのにおいは今でもはっきり思い出せる。

子どもながらに悪いことをしたな、と眠れない四十歳の今ならわかる。あんな風に暗闇の中、子どもに何度もしゃべりかけられるのは、寝つきの悪い人間にとっては、拷問に近い（私も、五歳の子どもがなかなか寝ず、耳元で話しかけてきたり、くすくす笑ったり、暗闇の中で楽しそうに目を光らせていたりすると、神経が高ぶってきて時々、ワーッと泣いてしまいそうになる）。孫のお泊まりが滅多にないものだとしても、祖母にとって、私の相手は楽ではなかったと思う。そんな私を面白がらせる工夫をしてくれたことも、優しくてセンスもある人だったんだな、と今ならわかるのだ。と同時に、祖母は、私もまた自分と同じ道をたどるんじゃないか、と薄々気づいていたような気がするのだ。今にこの孫も、寝つきの悪い若くない女性になって、暗闇と戦うようになる、とあの頭がいい女性は知っていた気がするのだ。その予感は祖母にとってどんな種類の気持ちを呼び起こしたのだろうか。

今年の夏の夜は寝苦しく、相変わらずなかなか眠れない夜ばかりだが、こうしている間も水に浮かべたおもちゃの魚はどんどん大きくなるんだよな、などと思いながら、最近は涼感を求めて、私も喉や肩にタイガーバームを塗り込んだりする。

ゆずき・あさこ（作家）「一冊の本」8月号

古地図は間違っているほど楽しい

宮田珠己

昔からずっと古地図が気になっている。といっても江戸の大名屋敷や河岸が描かれているような近世のものではなく、もっとずっと昔、日本にやってきた西洋人が噂や空想を織り交ぜて描いた勘違い満載の日本地図や、さらに遡って中世の日本人がわずかな情報をもとに描いた大雑把な地図に惹かれる。

現存する日本最古の国土図は、嘉元三（一三〇五）年に描かれた仁和寺所蔵の「日本図」で、その時点ですでに日本の国土は「東方陸奥、西方遠値嘉（五島）、南方土佐、北方佐渡」と認識され、東西に長い棒状の地図が描かれていた。

伊能忠敬の描いたものに比べるとそれはそれはグダグダで、北海道はないし、東北地方が北にたちあがっていなかったりするが、それでも大枠はとらえており、いったいどのようにして国土の形を知ったのか不思議議である。

今でこそ徒歩で日本縦断したりする人もいるけれど、川一本渡るのも難事だった鎌倉以前の時代に、全国を踏破するなどとても無理な話だろう。広く情報を募ってまとめあげたとしても、たとえば関東に対して九州がどの方角にあるかどうやって知るのか。

歩いてみればわかるが、何日も歩くと、まず自分がまっすぐに歩いてきたのか、大きく曲がったのかもわからなくなるものだ。山や星を見て方角の見当をつけたのだろうが、いずれにしても日本の国土は自分の目だけで把握するにはあまりに巨大すぎたはずだ。

私はそんな地図を見ながら、当時の人にとって日本がどんな大地に感じられていたのかを想像する。それはわれわれが知る日本とはだいぶ違う、驚異に満ちた不思議の世界だったんじゃないかと思うのだ。

一方で、イエズス会士らの情報をもとに西洋人が描いた日本地図も好きだ。日本の国土に関する情報は日本人ですら曖昧だったから、彼らの地図もいろいろ間違っていた。最初は日本がただひとつの島だったり、逆に無数の島が二列に並んでいたりしたが、十六世紀後半になってようやくそれなりに日本ぽい形の図が描かれるようになった。

それでもまだ北海道はなかったし、それどころか東日本すらなかったり、房総半島沖に三つの巨大な島があったり、若狭湾にも巨大な島があるとか、いろいろ違っていた。地名もところどころ意味不明で、四国を示す島にＴＯＫＯＥＳＩと書かれたり、紀伊半島にNIQVENIという国があったり、山陰地方にOXOTEとあるのはいったいどのことだろうか。

これらが面白いのは、ところどころに差し挟まれる誤情報が見る者の妄想をかきたてることだ。きっとただの間違いなんだろうけれど、ひょっとしたら、ここに描かれているのは、かつて実在し、今は忘れられた島や町ではないのか、なんて空想してみたくなる。

なので、古地図は間違っていればいるほど楽しいというのが、私のたどりついた結論なのである。

みやた・たまき（旅行エッセイスト・小説家）「東京人」5月号

梅雨入りの「伝単」

篠 弘

入梅の頃になると、きまって「伝単《でんたん》」のことを思い出す。時代は1945年の太平洋戦争末期にさかのぼる。私が東京都内の中学1年生で遭遇した実体験で、大戦の痛手を経験した方々の中には、理解する人も多いにちがいない。

同年4月の空襲で家を焼け出された後、目下住む練馬から通学することを余儀なくされていた。近くには、今や大団地となっている成増飛行場があった。麦畑の間を帰宅する私の頭上に、何ときらきらと白く光るビラが無数に落下してくるではないか。これが低空で飛んでいった米軍の中型爆撃機B25が撒《ま》いた「伝単」であった（「伝単」の語源は、物事を伝える紙片という意味での中国語）。手にしていた本などを置いて、私もそれを拾おうとする。

私はその瞬時のドラマを近年短歌にしている。われながら珍しいモチーフである。

〈降伏をうながす伝単《ビラ》を拾ひける斜《なだ》りはいまも泥ぬかる道〉

〈戦災に焼け残りたる近郊に米機は空よりビラ撒きつづく〉

〈拾ひ読むビラは白旗まさしくも天から授かる梅雨冷えの午後〉

〈風出でてきらきら降りくる伝単を少年は掴《つか》むジャンプして取る〉

空中にさまようビラは、きわめて拾いにくいものであった。近所の人らも出てきて騒然となる。宣伝ビラかと、破り捨てる人が多かったが、私の受けた衝撃は強かった。「トルーマン大統領」の表記が「ツルーマン大統領」と誤記されていた点が気になった。米軍が太平洋の島々を占領したことを述べ、日本人の戦意喪失をうながす急ごしらえの檄文《げきぶん》であることが分かった。

〈手にしたるB25からのビラ三枚私服に奪はるたちまちにして〉

〈少年のひとりを囲む緊迫のありて伝単は召し上げられつ〉

〈半ばまで読みし伝単を没収され少年は湿れる路上に坐せり〉

ばらまかれたわが国の降伏をうながした宣伝ビラは、驚異的な枚数に及んでいたにちがいない。ツルーマン大統領のメッセージに始まり、今や桁ちがいとなった軍事力の差が強調されていた。受け取った者にとっては、むしろ一層反米感情がつのる状況にあった。

私は拾った3枚のビラのうち、1枚をポケットに忍ばせていた。米国の軍人が作成した文章を、在留邦人がリライトしたと思われる、日本語に通じた檄文調であった。後日に知ったことだが、写真やイラスト入りのビラもあったらしい。翌日にはもっとも親しい友人たちとの夜の集まりで、この1枚を披歴するに及んでけっしてビラが虚構ではないことを確認しあい、閉会に燃やしたことが忘れられない。

「伝単」を手にした時点から、私の敗戦の日は始まっていた。

しの・ひろし（歌人）　「信濃毎日新聞」六月十七日・夕刊

松岡享子さんの教え

阿川佐和子

松岡さんがずっと見守ってくださっていると信じて私は生きていた。お前のためにいらしたわけではないぞと叱られそうだけれど、私にとって松岡さんはもう一人の母のような存在だった。

初めてお会いしたのは四十年近く昔。小説家の娘のくせに読書が苦手である私は、東京子ども図書館理事長で、「くまのパディントン」シリーズの翻訳などで知られた児童文学者である松岡さんに、大胆にも「最近の子どもの活字離れが危惧されておりますが、どうお考えですか?」と質問した。すると松岡さんは優しくもしっかりとしたお声で答えてくださった。

「子どもにとって読書の時間は格別に長い必要はないし、たくさん読まなければいけないということもない。むしろ本を読んだあとボーッと一人で考える時間が大事なんです」

読書を終え、本を閉じ、子どもは本の中に書かれていたことを反芻《はんすう》する。本当に魔法使いはいるのだろうか。サンタクロースはウチに来るかしら。ぐるぐる頭を回転させて情景を想像し、その結論や解答がどうあろうとも、そんなふうにボーッと思考を巡らせることこそが、読書の大事な宝物。そう松岡さんは教えてくださった。

その後ずっと私は松岡さんの教えを身体の心棒にしている。子どもだけではない。大人もそうだ。情報と知識をたくさん取り入れることに躍起になるよりも、ささやかな感動を自分の頭と心でどう捉え、どんなふうに想像を膨らませることができるか。時間に追われ、なにがなんだかわからなくなると、松岡さんの言葉を思い返す。差別的な内容を含むとして刊行を打ち切られた『ちびくろ・さんぼ』について、「大好きな絵本がなくなってしまうなんて悲しい」と訴えたときも、松岡さんは「大丈夫。優れた物語は必ず返ってくるわよ」と優しくなだめてくださった。その後本当に返ってきた。松岡さんも帰ってきてほしい。

あがわ・さわこ(作家) 「讀賣新聞」二月九日

宇宙人

柴田一成

「宇宙人に会いたい」。これは、私が京都府内の小学校に出前授業に行ったとき、しばしば頼まれて色紙などに書く、私の一言である。実際私は物心ついた4、5歳のころから、宇宙人に会いたい、と思っていた。もちろんテレビやマンガの影響である。中学1年のときには、「将来、宇宙物理学者になって宇宙人と会いたい」と思っていた。しかし、「宇宙人に会いたい」ということを人前で話すのは、「非科学的」と批判される時代だったので、その夢は長らく心の奥底に隠しこんでいた。

長じるにつれ、宇宙人が地球に来ている確かな証拠はない、天文学者たちも誰も宇宙人に出会った証拠を持っていない、ということもわかってきた。しかし私のように宇宙人に会いたいと思っている天文学者や宇宙物理学者も世界には少数ながらいることもわかってきた。米国の電波天文学者のドレイク博士はその少ない天文学者の一人である。

博士が着目したのは電波観測の有効性である。

宇宙人が地球人と同じような科学技術文明を築いているならば、電波通信は日常的に行っているに違いない。すると、テレビ・ラジオ・電波通信などで電波を空に向けて大量に発しているはずだ。その宇宙人の文明から漏れ出した電波が地球に届いて、宇宙人の確かな証拠となるのではないか？　場合によっては、電波交信も可能になるかもしれない。博士の偉いところは、銀河系の中に「電波交信が可能な文明」がいくつあるのか、計算する方程式を考案したことである（1961年）。

方程式と言っても、簡単なものである。銀河系の恒星の数、その恒星の周りに存在する生命生存可能な惑星の数、惑星の上に生命が誕生する確率、生命が科学技術文明を構築する確率、そのような文明が宇宙に電波を放出する平均期間などを掛け合わせる単純なものだ。「生命生存可能な惑星の数」は現代天文学の最重要テーマの一つで、ドレイク方程式を真剣に「科学的」に検討する時代になった。これは故海部宣男博士が生前、強調されていたことである。

海部博士によると、現在世界で建設が進められているSKAという超巨大電波干渉計が完成すると、30年以内に3千光年まで観測できると予想され、銀河系内から地球外知的生命（すなわち宇宙人）が発した電波を受信できるようになる、という。惑星に生命が生存して宇宙に電波を放出する平均期間が1万年程度であれば、1個。受信できれば大発見！　受信できないときは、放出平均期間は1万年に満たないことになるという。

ある意味、見つからない時は、怖い話になる。宇宙観測から、近い将来における地球文明の滅亡が予言されるようなことにもなるからだ。地球から電波を発信できるようになって、約130年である。さらに電波観測の性能が上がっても受信できなければ、地球外知的生命の文明の電波放出期間は千年以下、100年以下とみることもできる。それは、地球外知的生命の文明の寿命ともいえ、リース博士の「地球の人類は今後100年間自滅せずに生存し続けられるかどうか心配」という話とつながってくる。

宇宙人問題は地球人の問題でもある。

しばた・かずなり（同志社大学特別客員教授）　「京都新聞」二月七日・夕刊

あぶない、落ちるぞ！

古川真人

母から聞いた話である。

昔、島で生まれ育った女のひとが結婚することになった。相手は島外の生まれで、それは別にいくら昔といっても――どれぐらい前のことなのかは聞きそびれた――さして珍しくもなかったが、東京出身であるとのことだった。長崎の西端に浮かぶ島にとって福岡、大阪、名古屋辺りは江戸の頃から貿易を通じ、また戦前戦後にかけては次男坊、三男坊の流れ着く土地として馴染みがあった。しかし東京となると、そこは想像の埒外なのだった。世のなかの一切が、それもことに重大なものが決定される土地であり、テレビや新聞を通じて島に辿り着く流行りの始点であり、またそこに暮らす者といえば誰も彼もおしゃれをして、要は見知らぬ取っつきにくい場所として、島の年寄連や女衆の脳裏に漠然と浮かんでいた。

結婚する当人はどう思っていたのか、それも聞きはしなかった。相手が「東京もん」と知って狼狽したのは、彼女ではなく親戚たちだった。どこで挙式をするか？　東京のホテルか？　そうであれば飛行機で向かうほかないが服はどうするか？　狼狽しつつも、しかし同時に親戚たちの結婚式に向けた連日の寄り合いの声には、どこかはしゃいだ気分も乗っていただろう。概してその場に男が混じっていることはまれで、居ても父や叔父といった間柄の者が、口数少なく決まったり決まりきらなかったりする予定を、聞いているのかどうか分からない顔をして煙草を吸いながら、漁を終えてすぐに済ませた風呂の湯上りのにおいを漂わせていただろう。

結婚する女のひとの家族たちは、たびたびの話し合いの中で、ひとつの奇妙な約束を取り交わしたという。

「相手がほら、東京のひとやろ？　やけん、結婚式場でわいわい喋ったらあれやろけんさって誰かの言うてね」と、母が言う。

「なん、うるさいって？　島の人間の声はせからしかねえって、向こうの家族に思われんようにって？」

そう訊いてみると、「うんにゃ、それもそうやけど」と母は言うのだった。

「島の言葉であんまり喋らんようにせないかんねって。そがんにして花嫁さんの家族たちで決めたとよ。東京弁っていうか、標準語でさ、式場じゃ話すごとしようってさ」

昔はそうだったのだろう。それで、女のひとの家族と親戚たちは東京だと耳慣れぬ言葉をむやみと大声で話し、相手の家族たちをぎょっとさせぬよう示し合わせ、挙式の当日は島の言葉を自ら禁じることに決めたのだった。

それにしても奇妙ではある。けれど、その頃にはそうだったんだろう。標準語と方言ならば後者が前者に譲ってやるのが当然だと、ほかならぬ後者の話し手たちが自明にしていた時代だったのだろう。とにかく禁令は発せられた。女のひとの親族は一張羅の背広や着物と共に、外向きの言葉を口の中に携えて東京までやってきたのだった。迂闊だったのは、相談の輪の中に一度として加わらなかった女のひとの祖父に対し、一族の誰も標準語で話すよう言わずにおいてしまったことだった。

あるいは言っても仕方がないと思われていたのかもしれない。ずんぐりとした禿げ頭の老漁師であっただろう。指の皮は厚く、顔は生涯日焼けし通して浅黒い。百聞然とした不機嫌そうな顔は、いかにも紋付袴が窮屈でかなわんと言っているように見えただろう。その人物の口から、どうして標準語がすらすらと出てくるだろうか。それに、生来あまり饒舌というわけでもない。酒は好きだが、騒ぐというよりも翌日の漁に備え、まだ暗いうちに起きだすための寝酒として身に付いた嗜好であり、近ごろは飲む量も減っていた。酒に弱くなってからはますます無口となりつつあって——つまり式場でも一言も喋らないか、せいぜい隣の妻に向かってぼそぼそと何か話すぐらいのものだろうから、わざわざ島の言葉を使うなと言っておく必要もないと親族たちは判断したのであった。

式が始まった。式場には壇のようなものがしつらえてあったという。司会による新郎新婦入場の声と同時に、眩しいライトの照らす中を、女のひとが新郎と一緒にやってくる。ふたりは集まる招待客たちに全身をよく見てもらうべく——というのがホテルの趣向だったのだろう——壇に上がり、ところ狭しと並ぶ円卓の上に連なる顔が自分たちを凝視し、あちこちでフラッシュが焚かれるあいだ、少しでも表情を崩さないように歩く。式の前に、できるだけ遠くを見るようにしましょう、その方が見てくれもいいですよなどと、ふたりは予め言われていたのだろう。

高い場所に居ながら足許を見ないで歩く女のひとを見ていると、どうにも危なっかしくてならなかった。

「あっぱよ、つっこぼるばい！」

孫娘に向かって、波の音にも負けない大きな声で老人は叫んだ。女のひとはどうしたのだろうか、きっと笑ったんじゃないだろうか。そしてそれは、自分の身を案じて叫んだ老人の怒ったような表情と、耳を赤くして慌てふためく親族たちの対照によって、いやまして面白く感じられたに違いない。

――ふるかわ・まこと（作家）「文學界」1月号――

ありのままの自分とは

磯野真穂

ありのままの姿見せるのよ―。

お気づきの方も多いだろう。これは大ヒット映画「アナと雪の女王」の挿入歌のサビである。

「ありのまま」は、現代を生きる日本人の救済の言葉だ。どんな苦境に陥っても、「ありのままの自分」であれば良い。自分の中に解決策は埋まっている。

全国紙2紙のデータベースを使い「ありのまま」の類義語である「自分らしさ」「自分らしい」「自分らしく」の登場回数を検索した。すると、昭和から平成にかけてのこの言葉の氾濫を見ることができる。1980年代はたった53回の登場であった「自分らしさ」は、平成となった90年代になると約45倍の2374回、00年代に入ると約135倍の7175回という伸びを見せる。

女だから、男だから、あるいは親だからこうあるべき、という昭和の「べき論」に皆が疲れてしまったのだろう。だから「べき論」が押しつぶした「ありのままの自分」を解放すべき、というわけだ。

それは確かに素晴らしい考えだ。しかし街を歩くと果たしてそうだろうかと考え込んでしまう私がいる。例えばそれは毛の扱いだ。

特にコロナ禍以降、電車の車内広告が、脱毛と育毛で毛だらけのことが増えた。定点観測をしている新宿駅南口付近のビル広告のうち2年間変わらないのは二つだけ。一つが、薄毛をふさふさに見せるパウダーを売る会社、もう一つが医療育毛を行うクリニックのそれである。体毛や加齢による薄毛は、「ありのまま」に他ならないと思うのだが、「ありのままの毛」は許されないようだ。

このような現象は、毛に始まることでも、今に始まったことでもない。より古典的なのはダイエットだ。若年女性を中心に80年代あたりから盛んになったダイエットは、08年に開始された特定健康診査（メタボ健診）を契機に、それまで無縁であった中高年男性にまで一気に押し広げられた。病気にならないよう体を数字で管理し続ける。ダイエットは今や、死ぬまで続ける暮らしの営みと言っても過言ではない。

さらに注目したいのは、体を変えたいという欲望の医療化である。中学生や高校生が美容整形や脂肪吸引を受けることは、今や珍しいことではない。医療育毛、脱毛だけでなく、脂肪細胞を凍結させたり、内服薬や注射をしたりして減量を促す医療ダイエットは、最近ますます知られるところとなった。

このように、体を巡る現状は「ありのまま」とは程遠く、その方法はむしろ洗練されてすらいる。しかしここにはトリックがあるのだ。それは、「それをやりたいのは私」という自己決定である。

他ならぬ私がやりたいと感じるのだから、技術を通じ外見を変えることは「ありのままの私」の実現―。そう言われたら反論は難しい。

ただ自己決定というのは大変怪しい概念だ。脱毛は女子のマナー、薄毛は格好悪い、太っているのは自己管理ができない人、そのような社会の価値観がなかったら、脱毛、育毛、ダイエットの欲望は生じまい。自己決定は社会の決定であることはままあるのだが、その構造は見えづらくなっている。

人間は、必ず体に手を入れる生き物だ。体に手を入れることは、共同体の一員として認められるための儀式であり、それが自分と他者の安心を醸成する。このことは、狩猟採集で暮らしているような人々であっても変わらない。それを踏まえると、「ありのまま」が良いと、身だしなみを一切気にしない生活は、むしろ人間らしくないとすらいえる。

ただ現代社会の特徴は、身体変工と自己決定が結びつけられる点、実際に反し「ありのまま」が称揚される点、身体変工の医療化が顕著で、体のありとあらゆる箇所にそれが拡大していく点である。

私たちの体は今後どのようになっていくのだろう。仮に皆の体がツルツル、ふさふさ、スマートになったとしても、身体変工の欲望は変わるまい。そうしたら人々は、新たに手を入れる場所を探すはずだ。それは汗や排せつ物のようなところまで及ぶかもしれない。「ありのまま」と言いながら、「ありのまま」が許せないのが現代人なのである。

いその・まほ（人類学者）　「信濃毎日新聞」十月七日

兄のピッケル

沢野ひとし

私が五歳の時に名古屋から東京は、中央線の東中野に引っ越しをした。一九四九（昭和二十四）年の春であった。新築の家は元住んでいた名古屋の家を解体して、材木を貨車で運んだ。

まだ戦後の混乱が続いており、物資の流通も安定していなかった。窓ガラスも藁で厳重に梱包され、木枠で運ばれて来た。

水道はあったがガスはまだ無く、台所のかまどは薪と炭で煮炊きをしていた。

両親は名古屋で洋裁教室をおこし、裁断の本を出版して大成功を収め、東京進出に夢を託していた。

広い二階は母の作業場で、数名の縫い子さんと、新しい時代の服をデザインしていた。父は経理と百貨店などへの営業に走り廻っていた。

タイル張りの風呂場があるのに、なぜか風呂桶がいつまで経ってもやってこなかった。両親や子どもたちは僅かなタライの湯で、タオルをしぼり体を拭いていた。

時々歩いて二十分ほどの早稲田通りにある、松本湯という銭湯に家族全員で、まるで家出をするかのように、各自着替えを入れたザックを背に出かけていた。帰りは幼い妹二人は眠くなって、父や母におんぶされていた。寒い日は空に星が輝いていた。

そんな銭湯帰りのある夜、私はひときわ大きな星に引きよせられた。

物知りの兄に聞くと「北極星」と言い、ひしゃくの形に並ぶ北斗七星について教えてくれた。そして家に風呂桶が来ても、兄と一緒に隠れるようにして銭湯に通っていた。

やがて十年もたたず両親の事業は立ち行かなくなり家屋敷を売却することになった。引っ越しの日に大きなガラス窓のある応接間で、父がじっとタバコを手に物思いに耽る後ろ姿が、少年の心にもの悲しく残った。

小さな借り家に転居したが、父は放心したように働きもせず、抜け殻状態で部屋に閉じ籠もり、一日中新聞を隅から隅まで眺めて過ごしていた。

兄は都立の優秀な高校に入り山岳部に属し、休日になると大きなザックを肩に山に入っていた。

私も兄に連れられて、丹沢や奥多摩、やがて奥秩父の山としだいに山歩きのとりこになっていった。兄は「勉強は基礎が大事」と学力の劣っている私を良く心配していた。高校生になると一人で八ヶ岳に行きテントを立てたことがある。肌寒い晩秋の頃であった。夕食のラーメンを作り、ふと空を見上げると満天の星にまるで体が引き込まれていくようであった。いくつも流れ星の中に、人工衛星なのか白く光って走っていった。

誰もいない山の奥で一人ぽつんと星を見つめていると、きっと人間は古代から星を仰ぎながら、多くのことを願ったのだろう、先の生活、結婚、豊作への願い、子どもへの思い、両手を合わせ熱心に祈りを捧げたのだろう。

寝袋に入って眼を閉じても、しばらく星がまぶたから消えることはなかった。

兄は大学に入ると、安保闘争に忙しくなり、しだいに山登りから遠ざかっていったが、高校三年生になった私は逆に劣等感を跳ね返すように山に向かっていった。

穂高岳や谷川岳と高みを目指し、地域の山岳会にも入会していた。山にのめり込むような姿に、兄は「危ない所に行くなよ」と強い口調でいい、学業のことも重ねて、親の代わりのように注意を促すのだった。

兄が結婚するとやはり疎遠になっていくもので、母の墓参りの時に、たまに会うぐらいで光陰矢の如く月日が経っていった。

私が文や絵を描きはじめると「その絵で喰っていかれるのか」と冷笑していた。

大学院に入った兄は学問、学者の道を目指しはじめ、念願だったドイツのミュンヘンに留学した。だが、准教授になった頃からうっぷんを晴らすような、ひどい酒の飲み方をするようになり、体調を崩し、入退院を繰り返すようになった。

私の方は就職しても相変わらず、まるで放浪するかのごとく、ふらふらと山歩きをしていた。

兄が若い頃に大切にしていたスイス製のピッケルが、ある日突然届いた。油紙に包まれたピッケルは丁寧に磨かれ、ピカピカに光っていた。私の部屋にはピッケルは何本も在っていたので、兄から貰った物は本棚の間に飾るように立掛けて置いた。

そして兄は酒が原因か喉頭癌にかかり、六十四歳の若さで亡くなってしまった。

まるで形見のようなピッケルは薄明りの中でも今も鈍く光っている。その光を見ると不意に熱いものが込み上げてくる。


さわの・ひとし（イラストレーター・エッセイスト）「かまくら春秋」9月号

すてきな机上旅行

山内マリコ

あれはたしか二〇〇四年か五年。大学を出たあと京都市内に住んで、カフェでアルバイトをしていたときだ。店の前に出しているカートの中を、しげしげと覗き込んでいるグレイヘアの背の高い男性がいた。

あっ！　筑紫哲也だ！

高校生のころから「NEWS23」を観ていたわたしは表にすっ飛んで、「筑紫さん！筑紫さん！」と話しかけた。どうして京都にいるんですか〜、みたいなことをたずねた気がする。筑紫さんはお一人だった。平日は番組があるけど、週末はよくこうして一人でふらっと旅行しているんだよ、というようなことをおっしゃっていて、それって惚れ惚れするほど筑紫哲也っぽいなと、わたしはうっとり思った。「多事争論」や「異論!反論!OBJECTION」といったコーナーも印象深いけれど、わたしがわざわざ「NEWS23」

を観ていたのは、カルチャー系の特集が充実していたからだ。「金曜深夜便」が大好きだったけれど、関西では放送がなくてさびしいです、なんてことを言ったような。図々しく呼び込みをして筑紫さんを中にお通ししたはいいものの、ロールケーキとコーヒーという京都っぽさ皆無なメニューしかお出しできるものがなく、お口に合うかしらと、あとはハラハラしどおしだった。

その筑紫さんが、番組内で趣味について語っていらっしゃった気がするのだが、なにしろ昔のことで記憶が曖昧なので、あまり自信がない。筑紫さんはたしか、趣味は〝机《き》上《じょう》旅行〟だとおっしゃっていた。机上とは、「机上の空論」の、あの机上。「頭で考えたり、紙に書いたりしただけのこと」という意味。つまり実際にパリには行かずとも、パリの地図を眺めたり、パリのガイドブックをめくったりして、旅行気分を味わい、旅行の計画を練るのが、机上旅行だと。そう話す筑紫さんをテレビ越しに見ながら、筑紫哲也っぽい！　とわたしは唸《うな》った。ああいう大人になりたかった。

二〇二〇年の春、本当だったらわたしはイギリスで、庭園めぐりをしているはずだった。バラの盛りにロンドンを訪れて、キューガーデンからチェルシー薬草園、ハウザー＆ワース・サマセットまで足をのばし、ありとあらゆる花を愛でようと企んでいた。ところが新型コロナウイルスが蔓延し、ロンドンのバラどころか、都内の桜の花見すら制限される〝ご時世〟となってしまった。

これはしばらく海外に行けそうもないな、と思ったとき、頭の中に浮かんだのは、いつか筑紫さんが語っていた、机上旅行だった。実際には行けなくても、旅行を楽しむ方法はいろいろあるはずだよな、と。

コロナ禍の初期、ステイホームやおうち時間なんて言葉が現れたころ、お菓子作りが流行って小麦粉やバターが品薄になるなど、家でどれだけ有意義に過ごすかに、みんな血道をあげていた。わたしもまたこの状況を逆手に取って、行けないからこそ旅を楽しみたい、深めたい、という気持ちをふつふつ湧かせていた。

そして手に取ったのが、イギリスの小説家ジョージ・エリオットの紀行文集『回想録ヨーロッパめぐり』だった。著者はジェンダーロールの厳しいヴィクトリア朝の時代、小説を発表するにあたって男性名を名乗ったが、本名はメアリ・アン・エヴァンズという。近代ツーリズムが幕を明けた一八五〇年代に、パートナーと共に巡った六つの旅が綴《つづ》られている。

本の最初を飾るのは、ワイマールへの三カ月間の旅である。ジョージ・エリオットはのちに名作『ミドルマーチ』などを書いて小説家として成功を収め、社会的な知名度が逆転していくが、このワイマール旅行は基本的には、パートナーのゲーテ研究に、彼女が同行した形だった。

ゲーテは文豪であると同時に、ドイツ中部にあった大公国で宰相まで務めた政治家で、人生のほとんどをその首都ワイマールで生きたという。この旅の時点で没後まだ二十二年。直接ゲーテを知る人物にインタビューしたり、ゆかりの場所をフィールドワークしたりする旅である。

こういう文学的テーマのある旅に、わたしはめっぽう弱い。ゲーテの暮らした家や別荘、ゆかりの温泉など、この旅で二人が訪ねたスポットのほとんどは現存していて、ネット検索すればすぐに写真を見ることができる。机上旅行といってもこれは、ゲーテゆかりの地を訪ねるジョージ・エリオットの旅行に、本の上で随行するという読書。さながら木曽義仲ゆかりの地を歩く松尾芭蕉の句を読む、みたいなものだが。理想をいえばジョージ・エリオットの辿ったルートをちまちま地図に起こして、自由研究みたいにまとめたいけれど、わたしにはそこまでおうち時間を充実させることはできなかった。とりあえずGoogleマップに星だけつけておいた。

こういう文学的な追想の旅を、日本で、東京で、それも隅田川沿いにエリアを絞ってやっているのが、川本三郎の『大正幻影』だ。東京の西側に生まれ育った著者は、四十歳になったころから東側の、それも隅田川周辺に惹かれるようになったという。「町内旅行者という異邦人の目で」著者が辿るのは、永井荷風や佐藤春夫ら、大正期に活躍した小説家たちが描いた風景。明治国家を作り上げた世代を父に持つ彼らが、なぜこぞって、江戸の情緒を喚起する隅田川を心の故郷にしたのか。大正時代の作家たちを覆ったメランコリックな気分に思いを馳せる文学評論だが、散歩と読書が織り交ぜられた読み心地が愉しい。

ゲーテの時代から大きくは変わっていないワイマールの街並みと違って東京は、関東大震災、東京大空襲、高度経済成長とオリンピックによる再開発で、当時の面影はない。埋め立てられた堀割も多い。けれど、隅田川だけは変わらずそこにある。

「梅雨のころ、朝早く微雨のなかの隅田川を浜町河岸から見ていると、自分が現代に生きていることを忘れたりした」

著者が歩いたのは一九八〇年代の東京なので、すでにそこから四十年が経とうとしている。一九一〇〜二〇年代だけでなく、一九八〇年代の東京をも、わたしは憧憬する。もうそこにはないものを、ここにあったんだと幻視することができれば、時間も空間も超越した旅ができそうだ。

二〇〇八年に筑紫さんが他界されたとき、わたしはまだ小説家の卵だった。本を出したくて格闘している日々だった。訃報を聞いたとき、ああ、もうデビューできても筑紫さんには読んでもらえないんだなと思ったのを憶えている。筑紫さんは「この人に褒められたい」と目標にできる存在だったな、なんてことを、わたしは机上旅行をするたび、思い出すのだった。

やまうち・まりこ（小説家）　「翼の王国」11月号

寂聴さんのいない京都

細川護熙

あれはまだ私が30代の頃でした。ふと面白そうだなと手にした艶な小説『京まんだら』にひきこまれました。作者は寂聴さん。美しい京都の祇園を舞台に四季の移ろいや4人の女性たちの恋もよう、そして芸・舞妓の生き方などが華やかに織りこまれた、情緒豊かな世界でした。

それから時がたって、40代の半ば、熊本県知事をしていた頃、祇園のとある小料理屋のカウンターで初めて寂聴さんにお目にかかりました。「こんにちは」とご挨拶したのですが、お互い連客があり、それ以上の話はしませんでした。ところが、後年、再会したとき、その出会いをよく覚えておられたのです。「あなた、ビールじゃなく、日本酒を飲んでおられたわね」。驚きました。作家というのは、そんな些細なことまで観察されているのか、とつくづく感心したものです。

それからまた時がたって、いまから5、6年前のことです。日本芸術院賞などを受けられた建築家、故・白井晟一氏の遺作として知られるしょうしゃな建物が京都の嵯峨野にありますが、事情があって、私にしばらくこの建物を預ってほしいという知人からの話があり、お引き受けしました。

不思議な縁というのでしょうか、そこからほんの百メートルほど行くと寂庵で、寂聴さんとのご近所付き合いが始まったというわけなのです。

その頃の私はといえば、お寺の襖絵を描いたりしていたので、月に2回ばかり京都に行く機会があり、お電話すると、声を弾ませ「ちょっといらっしゃい」と誘ってくださる。まだおてんとうさまの高いうちからシャンパンを持ち出して、お寿司をふるまっていただいたりもしました。

寂聴さんは私の妻、佳代子のことを気にかけてくださっていて、「佳代子さんはその後どうですか」がいつも第一声でした。「老々介護は大変だけど、認知症は必ずよくなります」とそのたびに励ましていただいた。

寂聴さんにお会いしたとき、政治向きのことはほとんどお話したことがありません。ただし、戦争や原発に対する思いは、語らずとも相通じるものがありました。私が2014年に原発反対を掲げて東京都知事選に立候補した際には、わざわざ寒い中、京都から応援演説に駆けつけてくださった。

いまご存命であれば、おそらくウクライナ情勢についても、私があの沢庵和尚の有名な言葉「百戦百勝するも一忍に如《し》かず」—戦いはキリがない。それよりも戦わないことが最大の勝利なのだ—という話などをしたら、「そう、その通りだわ！」と熱く話が盛りあがったことと思います。

寂聴さんは、私のやきものや書にも関心をもたれ、あるとき私がつくった信楽の五輪塔をお墓にしたいからと注文をいただいた。寂庵に据える場所は、横尾忠則さんが決められ、お墓の石には、なにか自作の句を彫りたいと愉しみにしておられました。もうひとつ、寂聴さんに購入していただいた私の書の作品に「狂人走不狂人走」という軸があります。江戸前期の臨済宗の名僧、清巌宗渭《せいがんそうい》が、先人の言葉からとったものらしく、世の中は一人の狂的ともいえる情熱を持った人間が走り出すと、世界もそれに動かされていくといった意味です。政治家時代から私はこの言葉が好きでしたが、寂聴さんも気に入られた。ときに魂をゆさぶるお騒がせ、冒険がなければ、人生にいったいなんの意味があるのか、と。

寂聴さんはこうも言っておられました。「何度、裏切られても私は不良が好き」。「狂人走……」の含意をそう捉えておられたのでしょうか。私も寂聴さんにとって不良のボーイフレンドだったのかもしれません。寂聴さんのいない京都は少しさみしくなりました。

ほそかわ・もりひろ（政治家・陶芸家・茶人）「翼の王国」10月号

映画館は社会と地続きだった

藤原智美

一人で初めて映画館に入ったのは、12歳のときだった。かかっていたのは、S・キューブリック監督の「2001年宇宙の旅」で、子供も楽しめるSF作品だと思ったら、観客は大人ばかりだった。しかし、彼らにまじって同じ映画を観《み》ると思うと、小僧にすぎなかった自分が、急に大人になった気がした。

あのころはまだ、映画は人気の娯楽で、観客席の扉を開けると、大勢の客の背中が壁になって、中に入れないこともあった。

フィルムが焼き切れる瞬間を、スクリーン上で目撃したこともある。映写技師のミスで、フィルム1巻分のシーンが抜け落ちて映写され、客席が大騒ぎになったこともあった。ドタバタとした時代の空気が、映画館にも漂っていた。社会と映画館は、地続きの存在だった。

そういえば、アニメーション映画を初めて見たのは、近所の公民館で開催された映写会だった。
数々の名作が、世の中に文化的なインパクトを与えてきた。そんな社会性のある作品がたくさん生まれたのは、不特定多数の人々が集う映画館が、まさに社会そのものだからだろう。

昨今、その映画の旗色が悪い。というより危機的状況である。観客数が激減し、多くの映画館が姿を消した。足かけ3年に及ぶコロナ禍は、その傾向に拍車をかけて、それまで何とか踏ん張ってきた独立系の映画館、ミニシアターも経営が困難になりつつある。東京で半世紀以上がんばってきた「岩波ホール」は、今年の夏に閉館の予定だという。

そんな寒々とした状況下で、米アカデミー賞が発表された。結果は私にとって衝撃的なものだった。作品賞など3部門を受賞した「コーダ　あいのうた」も、監督賞をとった「パワー・オブ・ザ・ドッグ」も、ネット配信の作品だったからだ。

受賞した2作品とも内容はすぐれているのだろうが、こんな時だからこそ、劇場公開の作品が賞をとってほしい、と私は密《ひそ》かに願っていた。

私にとっての映画とは、同じ空間で、見知らぬ観客たちが息を殺しながら、スクリーンに投影された光と陰を見つめる、あの得もいわれぬ空気の中に存在するものだ。

暗闇の中で輝く大きなスクリーンと音響の迫力に、体全体が引きこまれていく、あの忘我の境地は、やはり映画館でしか味わえない。エンドロールが終わり、客席に灯《あか》りが戻っても、なおそのまま作品世界にとどまっていたいという心地よい虚脱感は、何ものにも代えがたい。

映画館から街の雑踏にでたとき、軽いめまいにも似た不思議な感覚を覚えることがある。そんなとき、自分が直前まで、非日常の虚構にどっぷり浸りきっていたことを思い知る。映画を観ることは、「鑑賞」というより、心にふりかかる「体験」に近い。

私はこれからも、そんな映画体験を続けることができるのだろうか。コロナ禍を克服したあと、世の中は再び映画館に目を向けてくれるだろうか、とても不安である。

というのも、映画館数の減少はコロナ禍以前から続いていたからだ。一方で、ネット配信の動画はますます勢いづいている。

映画館という社会的空間が、ネットに代替されて、世の中からきれいさっぱり、なくなってしまうかもしれない。そのとき、映画館は老人のノスタルジーとして、感傷的に語られるだけのものになるのだろうか。

そんな不安を抱えながら私は、「もう今しかない」と、せき立てられるように映画館へと急ぐ。

今、私のような映画館を愛する者に残された時間は、はたしてどれくらいあるのだろうか？

ふじわら・ともみ（作家）「北海道新聞」四月十四日

「フィクション」の力

神林長平

人はパンのみにて生くるものにあらず、とは聖書の言葉で、信仰＝精神世界の重要性を説いているわけだが、この言葉は宗教から離れても真理だと私は思っている。

パンに象徴される物質的な欲求対象の対極にあるものの代表は宗教的な信仰世界だが、芸術もそうである。それらは人間の精神的な欲求から生まれたのだし、そうしたいわゆる高尚なものだけでなく、芸能や娯楽という大衆的な分野にいたるまで、人間が希求している非物質的な対象を具現化しているものはいくらでもある。

人類はその最初期から洞窟に絵を描き、頼りになる神を想像＝創造し、そして物語を語ったはずである。暇だったからそうした「フィクション」を楽しんだのではなく、生きるために必要だったからだ。人間とは、そういう生き物なのである。パンのみでは生きられないのだ。

なぜ物質的欲求を満たすだけでは生きていけないのかといえば、自分たちが生きている現実世界は苛酷で、圧倒的な力を持ち、どうしたってかなわない、ということを理解する知恵をわれわれ人類が持ってしまったためである。

人間は知恵を持ったがゆえに、地震や津波や火山噴火に見舞われたら死を覚悟しなくてはならないという「リアル」な現実が見えるため、不安になる。自分を殺そうとしている、むき出しの「リアル」、つまり「現実の真のありよう」を直視することに人間は耐えられない。そこで、「フィクション」というフィルターをかけて現実を見る。この世界は神により創られたのであり、創造主である神がわれわれにむごいことをするはずがない、というように。

こうした安心できる「フィクション」なくして、人は生きられない。宗教や芸術をはじめ、芸能や文芸などはみな、生きるために必要な「フィクション」だ。科学的思考もまた、例外ではない。科学は事実を扱うが、その「事実」は人間の脳が理解できるものに変換されているのであって、「リアル」そのものではない。

芸術作品など何の役に立つのかと言う人がいる。かと思えば、歌舞音曲やエンターテインメント小説などは人を慰撫するものであって基本的にはなくてもよいものだし、結局のところ暇つぶしの道具にすぎない、と考えている人もいる。経費削減と称して文化施設の廃止を推し進める自治体も増えてきた。有権者の多くが、「それでも生きていける」と漠然と感じているからだ。それでだれかが死ぬわけではない、と。

そのような人は、「人間はパンのみでは生きられない」という事実を深く考えたことがないか、理解できないのだ。あるいは、人ごとだと思っている。「フィクション」がなくなったら人間は、自分は、「生きていけない」、すなわち「死ぬ」のだ、ということを想像する能力に欠けている。自分もまた人間であるということも、忘れている。実に、危ない。しかも、その危うさに気づいていない。

自分が危険な状態にあることに気づくのに役に立つのが想像力というものであって、それを鍛えるのが、これまた「フィクション」である。

「フィクション」は私たちに、体験したことのない世界を見せてくれる。宗教がそうだし、絵画でも娯楽小説でも、そこになにが表現されているのかを理解するには一定の想像力を必要とする。この想像力は、現実世界でなにが起きているのかを、たとえば自分の住んでいる土地のどこかで子どもたちが飢えているかもしれない、といったことを想像する力と、まったく同じである。「フィクション」で鍛えられる想像力は、現実を知る力になるのだ。

パンではないもの、「フィクション」とは、私たち人間が、圧倒的な力を持つ「リアル」に対抗するための盾や防護服のごとく、必要不可欠なものであり、同時に、希望でもある。

東日本大震災のような大災害が起きたときなど、飢えた子どもに対して自分の仕事は無力だと感じる創作者は少なくない。だが、それは、違う。飢えて死にそうな子どもに必要なのは、パンと、希望という「フィクション」だ。どちらが欠けても子どもの健康を取り戻すことはできない。創作者たちは、人を生かす仕事をしているのだ。決して無力ではない。

フィクションの持つ力は、とても大きい。それに気づくと人生がより豊かになるので、これを機会にフィクションについて思索することをお勧めする。「フィクション」とは、現実を映す鏡でもある。そこに飢えた子どもやあなた自身が見えてくるなら、私もうれしい。

かんばやし・ちょうへい(作家)　「信濃毎日新聞」三月六日

つくし

髙田　郁

入院中だった父の病室の窓から、公立中学校の教室が見えた。

夜、教室に明かりが灯り、白髪交じりの男女が集まる。授業らしき光景が繰り広げられるのを、父は毎夜、何とも愛おしそうに眺めていた。ある時、「あれは何？」と父に尋ねてみた。

「あれは、夜間中学や。戦争や貧しさや色んな事情で、学校に行けなかった大人のための学校なんや」

父に教わって初めて、夜間中学（公立中学校夜間学級）を知った。それが、夜間中学と私の最初の出会いであった。

平成十一年に父が他界したあと、かつての様子を、父が教室に向ける眼差しを、繰り返し思い出すようになった。父もまた、貧しさゆえに進学の夢を断たれたひとだった。

当時、漫画原作を生業にしていた私は、夜間中学を題材にしたいと考え、幾つかの学校に取材を申し込んだ。断りが続く中で、天王寺の中学校だけが受け容れてくださった。

初めて教室を訪れた時の衝撃は忘れ難い。両親と同じ年代と思しき高齢者たちが、プリントに向かって一生懸命に平仮名、片仮名の書き取りをしていた。貧困や病気や戦中戦後の混乱の中で、義務教育の器から零れてしまったひとたちだった。一文字、一文字、その手で字や言葉をつかみ取ろうとする気迫に、ただただ圧倒された。

「子どもの通信簿も読んでやれんでねぇ。可愛そうなことをした」

「読み書き出来ないのを知られんように、眼鏡を忘れたふりや、手ぇを怪我したふりを通してきたんや。何十年も」

「今さらその齢で、と笑う者も居てるけど、こうやって手に入れた文字や言葉は、もう誰も私から奪われへん」

毎夜、ともに机を並べて授業を受けるうちに、ぽつり、ぽつり、と話してくれるひとたちが現れた。義務教育が当たり前だと思い込んでいた私は、自身を深く恥じた。

ある時、黒板に書かれた「つくし」という文字を見ていた高齢の生徒さんが「ああ、優しい顔してる」と呟いた。夜間中学に通い始めて間もないひとだった。同じ平仮名でも「あ」や「お」や「ゆ」などは手ごわい。なるほど「つ」も「く」も「し」も、何と穏やかで優しい字面だろうか。文字にも顔がある、としみじみ感じ入った。

ふた月半ほどの取材だったが、「これまで私は文字や言葉を何と粗末に扱ってきたのだろう」と思わぬ日はなかった。生徒さんたちの学ぶ姿を間近で見る度に、「文字も言葉も、誰かを貶めたり傷つけたりするために用いてはならない」との思いを深めた。

のちに漫画原作から時代小説の世界へと転身したが、当時の経験は褪せることがない。今も、インタビューなどで作家としての「原点」について問われることがある。その度に、夜間中学の教室を思い起こし、黒板に書かれた「つくし」の文字を記憶の中で慈しむ。文字と言葉で物語を紡ぐ者としての、あれが原点に違いない。


たかだ・かおる（作家）「暮しの手帖」18

「絆」に二つの意味

本田秀夫

「絆」という漢字がある。「きずな」と読む人が多いだろう。「絆」を「デジタル大辞泉」で調べると、「人と人との断つことのできないつながり、離れがたい結びつき」と書かれている。近年、わが国ではこの言葉がさかんに用いられるようになった。辞書には、「絆」にもう一つ別の意味があると書かれている。「馬などの動物をつないでおく綱」である。言葉の由来からすると、こちらが本来の意味であるようだ。

「絆」は音読みでは「ハン、バン」と読む。なじみのあるところでは、「絆創膏《ばんそうこう》」という言葉に含まれる。これも「つなぎ留める」という意味である。この字は、「絆す」と書いて「ほだす」とも読む。これも「束縛する、自由を奪う」という意味である。「情に絆《ほだ》される」とは、人情にひかれて気持ちや行動が束縛されることである。

人の心と心のつながりには美しいイメージがある一方で、束縛して自由を奪う側面もある。「絆」という文字にはその両面が含まれていることを知っておくことは、重要なことだと思う。

ひとりの人ができることは、限りがある。生きていくためには複数の人たちの協力が不可欠だ。共通の目標や克服すべき課題があり、そこに集まった人たちの心が一つになったとき、想像を超える結果を生み出すことがある。目の前の目標に向かって人々が自発的に協力関係を築き、結果として心のつながりが強くなるのはよいことだと思う。

しかし、絆《きずな》は結果として形成されるものであって、目標やスローガンにすべきものではない。心を一つにして団結することを重視し過ぎるのは、ときに危険である。古来、多くの国の権力者は、人心を掌握するための常套《じょうとう》手段として共通の敵を想定し、その脅威への対抗のための団結を国民に促してきた。共通の敵とみなす相手は、外国だけではない。権力者の意向と異なる意見を持つ人に「非国民」などとレッテルを貼って共通の敵とみなすこともある。一部の人をスケープゴートにすることで、残る多数を統治するという手法だ。「団結しないやつは裏切り者とみなして排除する」という雰囲気が醸成され、自発的ではなく、義務感や強制感を伴った同調圧力が生じてくる。これは、任侠《にんきょう》の世界の盃事《さかずきごと》と変わらない。「絆《きずな》」という響きの美しさの陰に、このような本質が隠れていることがあるので、注意が必要だ。

何か共通の目標や課題があるときに、利害の一致する人たちが協力することは、意味のあることである。しかし、どんな場面でも常に利害が一致するとは限らない。「昨日の敵は今日の友」となることもあれば、一緒に何かを成し遂げた人が次のステップでは競争相手になることもある。人間関係は、そんなに簡単ではない。一部の人との関係だけを特別に強化すると、束縛されてその他の人たちとのつながりを排除する方向に偏ることが多い。「絆《きずな》」を声高に叫ぶわりには他者への攻撃的発言が多い人をときどき見かけるのは、このためである。世界人類全体の平和と共存を語るのに、「絆《きずな》」だけでは限界がある。


心を一つにすることの利点を生かしながらも排他的にならないためには、どうすればよいのだろう？　重要な方策の一つが、法律や制度の整備である。その集団を構成する人の多くが目標を達成するために団結し、協力しあうことを推進しつつも、利害関係が一致しない少数派や社会的弱者への配慮を怠らないための、社会としての枠組みが必要となる。

少数派や社会的弱者とあまり接点のない人には、少数派・社会的弱者がどんなことで喜び、どんなことで困っているのかを知る機会が少なく、彼らの気持ちを推測することが難しい。だから、心のつながりだけに頼った社会づくりでは、知らず知らずのうちに異質なものを排除することになる。そこに気づくことができるのが真の知性であり、少数派・社会的弱者への法制度的な対応を十分に行うことが民主主義の根幹である。

ほんだ・ひでお（医学者・精神科医）「信濃毎日新聞」一月二十三日

「路上園芸」という小宇宙

村田あやこ

街中では室外機の上や縁石などに鉢植えが置かれていることがある。その下の道に目を移してみると、鉢からこぼれだしたり風に乗って旅立ってきたりした種が、ひび割れから芽吹いている。このようにまちの路上を舞台にさまざまな形で繰り広げられる植物の動態を「路上園芸」と称し、勝手に愛で見守っている。

路地の鉢植えの密度がとりわけ高いのは、向島や月島、根津などのエリアだ。ビール箱やコンクリートブロックなどを巧みに組み合わせた台座の上に所狭しと鉢植えが並ぶ空間は、変幻自在な立体庭園。暮らしに密着した、肩の力の抜けた緑の姿が愛らしい。鍋やコップが鉢に転用されていたり、整然と並べられていたり、「花を持っていかないで」など渾身のメッセージがしたためられていたり。鉢の背後にいる育て主の暮らしやキャラクターが垣間見える。住居が密集する地域ではゴミの不法投棄を防いだり目隠しにしたりと、実用的な役割を担う場合もあるらしい。

時折、鉢植えのお手入れをしている住人の方とお話しすることも。鉢の上に緑陰を作り出していたソメイヨシノの大木が、実は四十年前に結婚記念で手に入れた鉢植えから育ったものだった、ということもあった。ひとつの鉢の背後には、さまざまな物語が潜んでいるのである。

住民でもない者が路地の鉢植えをニヤニヤ眺めながら徘徊する姿は傍から見れば不審者だが、「お花きれいに咲いていますね」など植物の話題を入口に話しかけると、不思議と話が弾むことが多い。「よかったら持っていって」と植物を株分けしていただくことも。プリンのカップに入れて分けてくれた黒法師《くろほうし》や、その場で害虫駆除剤の容器に穴を開け分けてくれたサボテン。これまでさまざまな植物をおすそ分けしていただいた。

人が育てた植物だけでなく、構造物だらけの街中でたくましく自生する植物たちの姿も魅力的だ。マンホール蓋の凹んだところに苔が着地し、そこにツメクサなどが根ざし小さな苔庭が生み出されていたり、電柱に絡みつくツタが妖怪じみていたり。冬の時季は、春に向けてぴょこっと芽生える緑が可愛らしい。

アスファルトに覆われた街中は、生命体がいったんリセットされた噴火後の荒れ地のような環境。そんな場所でもときとともに隙間が生じ、泥や水が溜まったところにうまく種が着地できれば、そこから小さな植生遷移がスタートする。植物相手の不動産屋になった気持ちでまちを見てみると、道のはじっこやベンチの下といった、あまり踏みつけられず適度に光や水がある場所がおすすめ物件のようだ。

こんな感じで、路上園芸をひとたび意識しながらまちを歩くと、家から最寄り駅へ向かうたかだか一〇〇メートルの道のりであっても、自分だけの名所がたくさん生まれる。この二年弱、人間界はざわついていたが、植物は季節の巡りに応じ葉を伸ばし花をつけるし、まちの園芸家たちは今日も変わらず水をやり花がらをつむ。その淡々とした姿にどれだけ心救われてきたことだろう。

むらた・あやこ（路上園芸鑑賞家）「東京人」3月号

情熱のミスター・ダンディー

佐藤利明

銀幕のスター宝田明さんの手のひらは大きく、がっしりしていた。力強い握手。ぬくもり。1994年、「100発100中」（65年、東宝）ソフト化記念インタビューが初対面だった。

以来、映画館でのトークを幾度かご一緒して、95年、僕のラジオ番組「特選映画音楽百年」（NHK・FM）のゲストにお迎えした。舞台での江利チエミさんとの共演、ミュージカルへの限りない愛…宝田さんの話には「情熱」と「夢」がいっぱいだった。その時「いつかミュージカルの仕事をしたいね」とうれしい言葉を頂いた。

ニューフェイスとして東宝に入社し、日本初の怪獣映画「ゴジラ」（54年）に主演。シリーズの象徴的存在となり、海外でも「ミスター・ゴジラ」としてその名をとどろかせた。20年前、「ゴジラ」DVD収録の副音声で宝田さんと対談をした。満州（現中国東北部）

で少年時代を過ごした宝田さんは、戦禍の中で壮絶な体験をして、苦労して引き揚げてきた。反戦への思いを込めて「ゴジラ」を熱く語ってくれた。水爆実験被害者としてのゴジラの最期に涙を浮かべていた姿が忘れられない。

プライベートでもお世話になった。僕を「朋友《ぽんゆう》」と呼んでくださり、何かあると声を掛けてくれた。満州での少年時代、東宝時代のことなど、さまざまなエピソードを伺った。大きくて、温かくて、優しい人だった。仕事には厳しく、どんな時も妥協はしない。常に「銀幕のスター」であることを意識して、背筋を伸ばし、笑顔を絶やさなかった。ダンディーなイメージを保ち続ける努力を続けていた。

2019年、客船「ぱしふぃっくびいなす」での「シネマクルーズ」をプロデュースした時、宝田さんにお願いして、船内でミュージカルショー「魅惑の宵をあなたと…」を上演。宝田さんの事務所で打ち合わせを重ねて、選曲、構成、演出を練り上げていった。「いつかミュージカルの仕事を」から四半世紀、ようやく夢が実現したのだ。ステージで「ラマンチャの男」の「見果てぬ夢」を歌い上げるレジェンドの姿に胸が熱くなった。

都内の名画座で、自身の出演作が上映されると、ふらりと劇場に現れて、観客と一緒に観賞することもあった。上映後、パッと立ち上がり、手を上げてあいさつする。スマートでダンディー、そして情熱の人。宝田さんが現れるだけで、その場の空気が「映画黄金時代」のような雰囲気になる。亡くなる直前も新作映画の舞台あいさつに登壇、生涯現役を貫いて、最後までミスター・ダンディーであり続けたのである。

——さとう・としあき（娯楽映画研究家）「京都新聞」三月二十九日——

電気が消えた！

村田喜代子

おとといの夜のこと。さあ寝るかと寝室に入って蛍光灯の豆電球のスイッチを入れたけど、部屋は真っ暗だ。スクリーン式の厚いカーテンを降ろした部屋は、鼻をつまれてもわからない真の闇。思わずドキリとした。

豆球が切れたのだ。一個五十円くらいの親指ほどの豆球が切れただけ。だがその小さな灯がなければ眠れない。真の闇は重すぎる。現代人は寝るときも多少の光がいるのだ。

その晩はとりあえず懐中電灯の灯を物陰に置いて寝たが、翌日は難題が待っていた。ホームセンターに行って豆球を買ってきたダンナが、私にその小さいガラス球を示して、

「脚立を持ってくるから、あそこへ登れ」

と天井を指差した。脚立は五段式の長い物でスライド式だ。それを伸ばして天井の蛍光灯に手が届く所へ登り、カバーを外して豆球を差し替える。ここで問題なのは蛍光灯

の下にベッドが二台あることだ。ベッドは不安定なので長い板を置いて、その上に脚立を乗せる。それでも板は揺れるのだ。

できない、無理、無理。私は後ずさったが、股関節手術後に杖《つえ》をついてるダンナはもっと無理だろう。食糧の買い出しからゴミ出し、草むしり、ついに電球の取り換えも私に来た。脚立を支えてやるから安心してとダンナが言う。

とんでもない！　支えてなんかくれなくていい。離れていてよ。そばへ来ないで。

共倒れになるくらいなら私一人で落ちる。心を決めて傾く脚立に登り、両手を伸ばし蛍光灯のカバーを手探りで回す。カバーは円型で直径九十センチ。大きすぎて両手がやっと届くほど。何とかカバーを外し、豆球を差し込んで、またカバーを戻して取り付ける。この間、両手を上げたまま七、八分。

「まだ入ってない。きちんと締めろ」

そう言われても手も足も限界だ。たぶんもう少し締めないといけないのは分かっているがこれで終わる。その晩は新しい豆球の灯《あか》りに守られて、何とか眠りに就くことができた。

一夜明けた今日の昼、二人の女友達に電話をかけた。電球が切れたらどうしてる？

「母が生きてた頃は近所の電器屋さんのご主人が入れ替えに来てくれたわ。母の俳句のお弟子さんだったから二つ返事で」

「今は？」

「母も電器屋さんも死んで、私が鬼みたいに天井の電気も庭の植木とかも頑張ってる！」

彼女は六十代でまだ元気だ。それからもう一人、私と同年配の七十代後半に電話した。

「お宅は電気切れたときどうしてる」

「うちのが取り換える」

「夫がいなくなったら？」

電話の向こうで少し思案するようで、

「考えないことにしてる」

という答え。そして彼女は語調を変えて、

「今、近所の大工さんが雨戸の修理に来てくれてるの。地震や台風の対策にね。うちで一番大切な人はこの大工さんなの。もう何十年ずっとわが家を守ってくれてる。彼がいなくなることだけは考えたくない」

何となく双方しんみりと電話を切った。

居間のテレビを点《つ》けると、このところずっと続いているウクライナの爆発音が聞こえた。豆球や雨戸の補給どころではない。こっちは原子力発電所への攻撃である。

国を守るため残る夫と、国外へ脱出する妻や子どもたち。わが家の夫と同年の八十一歳の老人が「わしも国を守る」と銃を抱いていた。こちらはまさしく世界規模の非常事態だ。

私は書棚から一冊の本を取り出した。『朝、目覚めると、戦争が始まっていました』解説・武田砂鉄（方丈社刊）。太平洋戦争の開始は、一九四一年十二月八日朝七時の臨時ニュースで報じられた。文字通り、眼が覚めたら戦争になっていた。

「聴衆者の皆様はどうかラジオのスイッチを切らないようお願いします」

このニュースから、兵と民間人併せて三百万の国民が命を落とす太平洋戦争が始まるのだ。ちなみに敗戦時のわが国の人口は七千二百万足らずだった。今、戦争をわが身で知らない人々が大半を占める。豆球一つ切れて茫然《ぼうぜん》とした私を、私は恥じる。

むらた・きよこ（小説家）　「西日本新聞」三月十五日

雨が降るって本当に不思議です。えっ？　不思議じゃありませんか？

稲垣栄洋

空気中の水蒸気が冷やされると、フワフワと浮くくらいの小さな小さな水の粒になります。この水の粒が集まったのが雲です。やがて、この水の粒が増えてきて、空に浮いていられないくらい増えてくると、雨粒となって落ちてきます。これが、雨です。

雨粒は、数千メートルから一万メートルもの高さから地上に向かって落ちてくると言います。もし、その高さから自然落下で落ちてくると、地上に着く頃には時速一千キロメートルを超えるスピードにまで加速されます。それは、もう弾丸のような勢いです。そうなったら、傘など突き破ってしまうことでしょう。しかし、実際にはそうはなりません。雨粒は、パラシュートのように空気の抵抗を受けながら落ちてきます。つまり、ブレーキを掛けてスピードを抑えながら落ちてくるのです。一万メートルの高さを時速二十キロメートルの速度で落ちてくるとすると、雨の粒にとっては、およそ三十分間の空の旅です。そんな、はるか彼方からの大冒険を終えた雨粒たちが、次々と、私たちの暮らす地上に下りてくるのです。

そうは言っても、雲の中の水の粒は、バケツをひっくり返したときのように一度に落ちてしまわないのでしょうか。どうして、次から次へと一粒ずつ降ってくるのでしょうか。雨が降るって、本当に不思議です。

さて、雨が降ると、地上の虫たちは大慌てです。不思議なことに、雨の日に虫を調査しようとしても、なかなか見つけることができません。虫たちは、いったい、どこに隠れているのでしょうか。あなたがもし虫だったら、と想像してみてください。人間にとっては小さな雨粒も、小さな虫にとっては巨大な爆弾のような存在です。アリたちは巣の入り口を土で塞いで急いでフタをします。他の虫たちも葉っぱの裏などに身を隠します。

私たち人間も雨が降ると憂うつです。学校に行くのも面倒くさいですし、公園で遊ぶこともできません。しかし、もし雨がまったく降らなかったらどうなるでしょう。そこは砂漠のようになってしまいます。川の水も水道の水も、山に降った雨が元になっています。太陽の恵みにあふれた晴れの日もありがたいですが、雨が降ることもありがたいことなのです。

植物が育つためには太陽の光が必要ですが、水も必要です。動くことのできない植物たちは、じっと雨の日を待っています。ただし、問題があります。植物は雨に濡れると、そこで病気の菌が増えてしまいます。そのため、植物の体は水をはじくようになっています。試しに植物に水をかけてみると、葉っぱが水をはじいて、水玉がコロコロと転がっていきます。よく観察してみると、葉っぱがはじいた水を、茎の根元の根っこに送り届けるように水を流す植物もあります。わかりやすいのはサツマイモの葉っぱです。サツマイモの葉っぱは横から見ると、水を流す漏斗《じょうご》（ロート）のような形をしています。そして、ハート型の葉っぱの柄《え》の部分には、樋《とい》のような溝があって、水が流れるようになっています。サツマイモは、もともと雨の少ない乾燥地帯の植物です。そのため、少ない雨を根元にためるような仕組みになっているのです。

雨の日が大好きなのはカタツムリです。不思議なことにカタツムリは、雨の日になるとブロック塀に集まってきます。じつは、カタツムリはブロック塀をかじっているのです。カタツムリの殻は、体の一部です。そのため、体が大きくなると、それにあわせて殻も成長させていかなければなりません。ブロック塀には、その殻の原料となるカルシウムが含まれているのです。

カタツムリの祖先は、海の中に棲んでいた巻き貝でした。

かつて私たち人類の祖先も海の中に暮らす魚でした。しかし、やがて地上生活をするようになり、両生類や爬《は》虫類や、恐竜や、私たち哺乳類へと進化をしたのです。カタツムリの進化も同じです。海の中に暮らしていた貝が、乾燥した地上へと上陸を果たしました。そこには、どれだけの進化のドラマがあったことでしょう。海水の中にはカルシウムが溶け込んでいますが、陸上生活をするカタツムリは、石灰岩などの岩の中にあるカルシウムを摂取しなければ生きていけません。そんなカタツムリたちが、なつかしいふるさとの味を求めて、ブロック塀に集まってくるのです。

雨は本当に不思議です。そして雨が降る日は、ちょっぴり、すてきなのです。

いながき・ひでひろ（農学博士・植物学者）「飛ぶ教室」69号

幽霊

平岡直子

暑い季節が終わり、窓を開けておく時間が長くなって気がついたのだけど、早朝の五時くらいになると外から煙草の匂いが漂ってくる。わたし自身はここ数年は喫煙をしていない。でも副流煙のことを嫌いにはならなかった。煙草をやめた人はなにかがくっきりと反転するように嫌煙家になったり煙草の匂いを憎みはじめるパターンも多いけれど、わたしはあの匂いは好きなままだった。だから、煙草の煙の近くを通る機会があると、お寺の前で線香の香りを感じるときのような、祖母の家の独特の匂いを吸いこむときのような、そんな気分になるのだった。早朝五時に喫煙しているのはわたしの住んでいる小さなアパートの住人だろう。あるいは敷地を共有するかたちですぐ向かいに建っているアパートの。どちらの物件もたしか室内禁煙が規約に含まれていたので、室内で吸うわけにはいかず、家から一歩出て朝いちばんの一服をしているのだと思う。

生活が夜型のわたしにとっては五時はまだ起きている時間。うとうとしはじめている場合もある。喫煙者のほうはたぶん朝型の生活をしている人間だ。判で押したように同じ時間帯に匂いが漂ってくることからは、規則的な生活が窺えるだけではなく、それが起きるための一服なのだろうということまで想像させられる。就寝前の一服ではなく。人は夜よりも朝に規則的に過ごすものだと思うから。

朝起きてかならず一本の煙草を吸うことにしている人の生活を思い描くと広々とした気分になる。屋外で煙草を吸うというのはその季節ごとの空気を吸い込むことだ。五時はある季節には暗く、ある季節には寒く、ある季節には明るく、ある季節には蒸し暑いだろう。ひとつの習慣の上を四季がめぐっていく。もしかしたらその人が吸うのは朝の一本だけなのかもしれない、とも想像する。

わたしはそういうふうにはできなかった。際限なく吸うか、まったく吸わないか、どちらかしかない。一日に二箱は吸っていた長い年月を経て、数年前からなぜか一本も吸わなくなり、今では、たまに他人に勧められても、一本どころか一口の貰い煙草もできない。これは、じぶんが「際限なく吸うか、まったく吸わないか、どちらかしかない」ことへの自覚があるからで、今ここが「際限なく吸う」側へふたたび渡るときなのか？と考えはじめるとその決断の重さに怯んで身動きがとれなくなってしまう。いつかふたたび喫煙するようになったらまた一日二箱吸うのだと思う。

この部屋には二年前に引っ越してきた。木造のアパートに住むのははじめてで、防音性の低さがとくに不安だった。結果的にはじぶんは他人の生活音が気にならないタイプだということがわかったのは嬉しい誤算だった。わたしの階下に住んでいるのは大学生らしいのだけど、ときどき平日の午前中から掃除機をかけはじめる。平日の午前中はまだ眠っているわたしは、掃除機の音がしはじめると寝返りを打ってわざと布団から転がり落ち、直接畳に耳を押し当てるようにする。そうすると音がよく聞こえるのだ。掃除機の音を心地よく感じながらもういちどうとうとする。また同じ階に住む隣人は神経質なところがあり、外出時には施錠を確認するためにがちゃがちゃとドアノブをしつこく回す。隣人が音を立てるのはそのときだけで、残りの時間は物静かに暮らし、帰宅時のドアノブの音はしずかだ。でも、間取りが隣の住居と嚙み合うような形になっているので、隣人が夜中に起きてトイレに行ったときもわたしにはわかってしまうのだ。あ、トイレ、と思う。気にならないというか、わたしは他人の生活音が好きらしい。

生活リズムが違うせいか、隣人たちとは今のところ会ったことがない。顔も知らず、生活音だけ聞きつづけているのは、なんだか幽霊を相手にしているようなものだ。そして、幽霊というのは理想の同居人なのではないかというのがこのごろの考えである。顔も合わせず、会話をする必要もなく、ただ気配だけを感じられるというのは、人間関係のなにか究極のかたちだ。わたしは今この文章を午前四時に書いている。もうしばらくしたら煙草の匂いがしてくるのだろう。朝型の人間と夜型の人間が同時に起きているわずかな糊代のような部分に紫煙が重なる。

ひらおか・なおこ（歌人）　「スピン」第2号

命の時間 錯覚と凝視

穂村 弘

タクシーの中で、テレビ画面に流れる広告動画をぼんやり眺めていた時のこと。

「○○を選んだ理由は120歳まで生きたいから」

ミネラルウォーターのコマーシャルらしい。若い男性のタレントが真面目な顔で語っていて、おっ、と思った。そうか、とうとうそこまで来たのか。そこまでとは、人間の寿命についての意識のことである。

幼い頃、私は「巨人の星」という野球アニメに熱中していた。その中で、主人公である星飛雄馬の父一徹が、こんなことをいっていた。

「人生60年というが……」

1960年代終わりごろの、平均寿命についての一般的な認識は、それくらいだったのだろう。

だが、その何年か後に始まった別の野球アニメ「男どアホウ!甲子園」の主題歌の歌詞には、「どうせ人生　七十年だ」という一節があった。初めて聞いた時、あれっ?　と思ったものだ。「巨人の星」から、10年延びてるじゃないか。

実際に、日本人の戦後の平均寿命は急速な延びを示していたようだ。「どうせ人生七十年だ」の後は、かなり長期間にわたって、人生は80年というイメージの時代が続いたと記憶する。

そんな平成の初めごろだったか、そろって100歳を超えた、きんさんぎんさんという双子のおばあさんが、その縁起の良さそうな名前のおかげもあって、テレビなどで人気者になっていた。

ということは、当時の人々の中には、100歳を超えるのは稀《まれ》なことで2人にあやかりたい、という気持ちがまだ強かったのだろう。きんさんは107歳、ぎんさんは108歳まで長生きされている。

そこからさらに時が流れて、現在では身近な人が100歳を超えることも珍しくなくなった。「人生100年時代」という言葉が普通に使われる時代の到来である。

冒頭に引用した「○○を選んだ理由は120歳まで生きたいから」というせりふは、

このような「人生100年時代」を踏まえてのものなのだろう。

つまり、決して夢物語ではなく、それなりにリアルな願望としての120歳なのだ。せりふを口にしたタレントさんは若かった。その世代であれば、自分が老人になる遠い未来の話として、120歳への到達の可能性はさらに高く感じられるはずだ。

長々と書いてきたが、その広告動画を見た時、ふと奇妙な思いが浮かんだのである。1962年生まれの私は今年60歳になる。ということは、「巨人の星」の「人生60年」という言葉をそのまま当てはめると、そろそろ寿命が尽きるはずなのだ。なんだかショックである。

だが、その一方で、見たばかりの動画広告の「120歳まで」というせりふを真に受けるなら、まだ60年がそっくり残っていることになる。それはそれで、子ども時代から1歳も年を取らなかったかのような不思議な気分になってしまう。

これは自分の加齢の速度とイメージ上の寿命の延びが、たまたま釣り合っていたために起きた珍現象だろう。生きても生きても、人生のゴールラインが逃げ水のようにどんどん後ろにズレていったのだ。

もちろん、実際の平均寿命がそこまで延びているわけではない。これはあくまでも、「人生100年時代」というキャッチコピーや「120歳まで」のコマーシャルから生まれたイメージ上の話である。ただ、少なくともそのレベルでは、一種の錯覚として成立可能なのだ。

その一方で、現実世界におけるリアルな命の実感は、ある年齢を超えた人間の意識の中で、刻一刻と強まってゆくらしい。私がそのことに気づいたのは、新聞などの短歌欄に送られてくる多くの投稿はがきによってである。

自分が選者をしている場では、投稿の書式として、作者の名前はともかく年齢の記入は必須ではない。にもかかわらず、自らそれを記してくる人が一定数いて、その多くが高齢者である。

その中のさらに一部の方は、例えば「91歳2カ月」のように月まで教えてくれるのだ。これは70代までの人にはほぼ見られない、それ以降の方だけの特徴である。私は自分の年齢だけでなく月齢まで意識して生きる人々の存在を知った。

考えてみると、私たちは自分では覚えていない遠い昔に、同様の体験をしている。それは赤ん坊の時代である。例えば「1歳2カ月」のように、私は親や周囲の大人たちから月単位の命を見守られていた。

そして、人生の終盤に再び、今度は自らの月ごとの命を凝視する心の働きを教えられたのである。
ふと、こんな短歌のことを思い出した。

止まるのがこわいと思ふブランコをこぎつづけている老人ひとり

小久保きみ子

ブランコのひとこぎひとこぎが一年、一月、一日、いや、命の一秒なのだろう。

ほむら・ひろし（歌人）「朝日新聞」一月六日

代役、有リマス

茂山千之丞

私はいま、とってももやもやしている。ありがたいけど寂しい、悲しいけどホッとしている、そんな何とも表現しづらい気持ちでいっぱいである。そもそも今年の夏は舞台芸術にとって文字通りの修羅場であった。突如襲来した第7波。何百という公演、何千というステージ数がことごとく台風の中の稲穂のようになぎ倒され、各地の劇団で1年以上かけて制作さん達が入念に準備をして、演出家や役者が数週間数カ月に及ぶ毎日の稽古を重ねた労力がことごとく吹っ飛んでいった。

しかし、私がもやもやしているのは実はそこではない。このコロナ禍で同じく激増している「代役問題」に関してである。この2年間で私も他の役者の代わりを務めたこともあったし、3月に自分が陽性になった時には同僚の役者達が代わってくれた。特に私がやっている狂言というジャンルは役に専門性がなく、狂言師であれば全ての役を務めることが可能なため、明日急に誰かの役を代わることになっても現代劇よりもはるかに代わりやすい。それはこのご時世強みでもある。

私が「代役問題」と呼んでいるのはここからである。あの、その、こんなこと決して大きな声では言えないのだが、お客様が「クレームを言ってこなさ過ぎなんじゃないか?」ともやっとしているのである。

貴重なお金と時間を費やして、わざわざ劇場へ足を運んでみたら配役変更のぺらっとした紙が表に貼ってある。見てみると自分の贔屓《ひいき》の役者の降板を告げる紙。おうおう、話が違うやんけ、○○を見に来たのに△△が出るてどう言うこっちゃ、金と時間返さんかいコラ。こうなってもおかしくないと思うのだ。

この2年余り、数え切れない程の代役が登板してきたと思うが、私のところではお客様から返金やお叱りの声があったというケースは数えるほどである。いや、もちろんこれは本当に本当にありがたいことであるのは百も承知である。このコロナ禍をお客様が鑑みて不承不承納得してくださっているのである。これについては全力で土下座してお詫《わ》びと感謝を伝えたい。それでも、それでも、役者として心のどこかに「あ、僕じゃなくてもいいんだ…」という思いが芽生えるのだ。役者という生き物は、上手《うま》い下手関係なくみんな自分が他人には無い魅力を持っていると思っている生き物である。お客様が自分を見にきてくださっていると信じている。ああコロナに罹《かか》って舞台を休んでしまった、お客様はさぞ残念がっているだろうな、私をこの私をこの私だけを見に来てくださったのに、ああ申し訳ない、この上は今すぐ腹かっさばいて死んでお詫びを…。と思いたい生き物なのである。それなのに公演後代役の役者にお詫びの長文メールを入れると、ひと言「問題なく無事終わりました」というようなメールが返ってくる。

自分が迷惑をかけていることはわかっている。ひとえにお客様の寛容さのおかげなこともわかっている。それでも、心の隅っこでこうつぶやいてしまう。

僕、いらんのん?

しげやま・せんのじょう（大蔵流狂言師）　「京都新聞」九月八日・夕刊

栗

岸本佐知子

スーパーでつやつやの大きな栗を買ってきた。

これで栗ごはんを作るのだ。普通の人がする秋らしいことを自分もするのだ。心おどる。

だが実を言うと、そこには「栗ごはんを食べたい」という純粋な願望以外に、若干の下心もあった。このあいだネットで見かけた「栗の皮がラクラクむける裏技」というやつを、ぜひとも試してみたかったのだ。

栗を一晩冷凍したものに熱湯をかけてしばらく置くと、鬼皮ばかりか渋皮まできれいにつるんとむける、とそこには書いてあった。写真も添えられていて、本当にみごとにつるんとむけて黄色い実が美しかった。素敵。

ところがやってみると、鬼皮はたしかに柔らかくなって多少むきやすかったものの、渋皮はむけない。一ミリもむけない。目の前にはつるんからはほど遠い、ぼそぼその茶色い渋皮に包まれた十個ほどの栗。

またかだ。まただまされた。渋皮を包丁でわびしくこそげながら私は思った。今まで幾度、ネットに流布するこの手の裏技とかライフハックとか絶品レシピとかに裏切られてきたことだろう。Tシャツを一瞬でたたむ法。逆に時間がかかった。無限〇〇。無限というほどおいしくなかった。排水口のぬめりをアルミホイルで取る。取れなかった。車内の熱気を一瞬で換気する方法。嘘だった。

うぬれネットめ。思い出すと腹立たしく、包丁を持つ手に力が入り、かなりの可食部をいっしょにこそげてしまう。

だがネットもネットなら栗も栗だ。

そもそもなんだってこんなに厳重に武装するのか。百歩ゆずって鬼皮はまあ許すとしても、この渋皮はどういうつもりだ。ここまで分厚くむきにくくする必要があっただろうか。すこしは他の果物を見習ったらどうなのか。たとえばミカン。人間が手でむきやすいように柔らかく作った外皮、房の一つひとつを包む薄皮の程よい薄さ。あるいは桃。あのデリケートな果肉にしてあの薄皮一枚という太っ腹。イチゴにいたっては皮すらなく、さあ食べてくださいとばかりに果肉むき出しで、さらに持ち手になるようにヘタまでつけてくれるという親切設計。それなのに栗、お前ときたら。

しかも奴ら（栗）はそれだけでは飽き足らず、さらにその外側にあの恐ろしいイガイガをはやして全身を包んでいるのだ。どうかしている。過去にどんな辛いことがあったら、あんなに過剰防衛の生き方になってしまうのだ。

自然界を見まわしたって、ここまで過度に実を守っている食べ物は他にないんじゃないか。

いや待て。一つだけあった。ウニだ。

ウニもまた、なにもそこまでしなくても、というくらい過剰なトゲトゲで身を守っている。しかも両者とも、これほど必死に防衛しているにもかかわらず、中身をすごく美味しくしてしまうという失策をおかしたために、逆に好んで人間に中身を食べられてしまっている。考えれば考えるほど似た者どうしだ。

もしかしたら栗とウニは親戚なのではあるまいか。遠い昔に生き別れになって山と海に別々に育てられたきょうだいなのではあるまいか。栗はウニを、ウニは栗の存在をまだ知らない。

テーブルの上に栗とウニを向かい合わせに置いてみる。互いの姿が似ていることに衝撃を受ける二人。運命の再会。走り寄る両者。激しく刺さるイガとトゲ。

気づくと栗の渋皮はもうむき終わっていた。あんなに大きかった栗の実は、削れて元の半分ぐらいの大きさになっていた。

きしもと・さちこ（翻訳家）「ちくま」12月号

ファンタジーに捧げた肉体

夢枕　獏

アントニオ猪木が好きだった。

テレビで放映された試合は全て見ている。

ぼくの書く物語の多くは、たとえば格闘小説であっても、ややファンタジーに寄っている。世界で一番強い男は誰かと問うことも、エヴェレストの南西壁を冬期に無酸素で登頂することも、白鯨を追うエイハブ船長のピークオッド号に、もし日本人ジョン万次郎が乗っていたらと考えることも、いずれも色の濃さこそ違え、ファンタジーであることに違いはない。何をテーマに書くにしろ、小説、物語を紡ぐというのは、結局のところ、このファンタジーに奉仕する行為であると、今はわかっている。このことについては、物語作家としてすでに肚《はら》をくくっているのである。

昭和五〇年十二月十一日、蔵前国技館で猪木とビル・ロビンソンが試合をした。六〇分フルタイムを闘って一対一の引き分け。凄《すご》い試合だった。この試合を観《み》た鉄人ルー・テーズは、次のように言った。

「なんとファンタスティックな試合だろう」

プロレスというファンタジーを成立させるのは、リアルな鍛えられた肉体であると、この時ぼくは確信した。この試合によって、まだ二〇代半ばであったぼくは、「小説・物語というファンタジーを成立させるのは、リアルな文体ではないか」ということに気がついたのである。

猪木の肉体は、ほのかに、酒成分のような色気を放っていた。鍛えぬかれた筋肉の上に、薄く脂肪の層がコーティングされていて、これはボクサーとも力士とも違う肉体である。スポットライトの中で、その肉体は観客の視線をきらきらとはねかえし、「この俺以上にプロレスのことを考え続けてきたやつはいるか」とその肉体が問い、その肉体自身が「俺だけだ」と叫んでいる。その声が色気となってとどいてくるのである。どれほど辛《つら》いことがあっても、その全てを、

「どうってことねえよ」

凄《すさ》まじい痩せ我慢で乗り越えてきた。

ぼくは、かねてから、日本が世界に誇る三大偉人というのを考えていて、まずは空海、

そして宮澤賢治、三人目がA・猪木であると発言してきた。空海、賢治については説明はいらないだろう。問題は、何故ここに猪木が入るのかということだ。正直に告白しておけば、その頃、猪木が好きというのは、ネタとしてちょっとおシャレだったからだ。でもネタ度は半分、のこり半分は本気。共通しているのは、この三人、日本のいつの時代、どの地域に生まれても、それぞれ空海となり、宮澤賢治となり、A・猪木となった人であろうということだ。

猪木というレスラーの対極にいたのが、ジャイアント馬場である。常にことあるごとに、猪木は馬場を意識し続けてきた。猪木が異種格闘技戦をやったのも、モハメッド・アリと闘ったのも、このG・馬場がいたからである。いずれも、G・馬場よりも自分が上であることを証明するための、果てしない猪木物語の道程の中のできごとである。

新日本プロレスと全日本プロレス、ふたりは別々の団体のトップになったのだが、あれほど望まれながら、猪木と馬場の対決は実現しなかった。そのうちに、もう今さら猪木対馬場戦はやらなくてもいい、やる意味がないとまで言う人も現れるようになったのだが、ぼくにはわかっていた。

「そんなこと言ったって、オマエ、猪木対馬場戦が決まれば、まっ先にチケット買いに行くだろう」

ぼくは行く。誰もが観たかったこの試合は、結局実現しなかった。残念だがこういうことが世の常であるし、なかったことによって、ある意味日本のプロレス史は豊饒《ほうじょう》になったとも言える。

現在は、殴っても、蹴っても、投げても、締めても、関節を極《き》めてもいいという総合格闘技（ＭＭＡ＝ミックスド・マーシャルアーツ）が盛んだが、まさしくこれはリアルファイトのプロレスと言っていい。古くは、古代オリンピックにあった種目、レスリングとボクシングを合わせた競技、パンクラチオンである。

アメリカとブラジルから、この潮流が世界に向けて発信された時、日本がかなり早く対応できたのも、我らがＡ・猪木がいたからである。ある意味では、総合格闘技ということでは、日本はブラジルよりもアメリカよりも進んでいた先進国であった。というのも、猪木の遺伝子を受け継いだＵＷＦ、修斗《しゅうと》、パンクラスなどの総合系の団体が、世界に先がけて日本には存在したからである。この遺伝子は、今も総合格闘技の血脈の中に、しっかりと残されている。最後の最後、死ぬぎりぎりまで猪木はプロレスをやりきった。こんな漢《おとこ》いるか。

日本に、Ａ・猪木があったこと、これは誇りに思っていい。

ゆめまくら・ばく（作家）「朝日新聞」十月十日

漕代駅

大辻隆弘

私の家から歩いて二分のところに漕代駅《こいしろ》という小さな駅がある。近畿日本鉄道の山田線、松阪駅から南にくだって三つ目、田んぼのなかにポツンと建っている駅である。急行列車は止まらない。各駅停車の電車が一時間に二本ほど停車する。

小さいけれど漕代駅は便利な駅だ。ここから電車に乗って特急に乗り換えると、名古屋へは一時間半、大阪へは二時間でいける。短歌関係のイベントであちこち飛び回っている私にとってはとてもありがたい存在なのだ。

漕代駅は私の遊び場でもあった。子どものころ、私は夕方になると、いつもこの駅に行った。そして、電車から降りて来る祖父を待った。

祖父は三交代制の工場で働いていて、昼勤《ひるきん》が終わると四時半着の上り列車でここへ帰ってくる。祖父が電車から降りてくると、私は彼の腕に飛びついて、家まで帰ったものだった。

澹代駅には駅員がひとり配置されていた。担当する人はたびたび変わったが、ほとんどの駅員は、高校を出たばかりの青年だった。彼らは私を見るとひどくかわいがってくれた。多分、自分の弟か従弟《いとこ》くらいの感覚で私を見てくれていたのだろう。

電車は半時間に一本なので駅務は比較的暇だったらしい。本当はいけないことなのだろうけれど、駅員のお兄さんは私を駅舎のなかに入れて、いろいろなものを見せてくれた。

切符の販売口には、小さな椅子が据えられていた。切符はボール紙の硬券。席の右側には、硬券が行先順にズラッと並べられた木の棚が見える。お客さんが来ると、青年はその棚に並んでいる「硬券差し」と呼ばれるジュラルミンの枠から、躊躇《ちゅうちょ》することなく一枚の切符を取り出す。そしてそれを黒い鉄の機械に通す。

ガチン、と音がしてそこに日付が印字される。その手付きが実にスマートでかっこよかった。あの鉄の機械は「ダッチングマシン」というらしい。後から調べてわかったことだが。

青年は駅員の七つ道具を私に見せてもくれた。切符を切る改札鋏《はさみ》は子どもの手にはずっしりと重かった。青年は私の目の前で、いかにも得意げに、それをカチカチカチッとすばやく打ち鳴らした。四角い形をした合図灯も見せてくれた。把手《とって》のついたそのランプは両面に電球がついていて、表は白、裏は赤。夜はこれを使って電車に合図を送るんだ、と青年は誇らしげに言った。

　小さな駅舎の奥には、一畳半ほどの仮眠室があった。端の方には布団がきちんと折りたたまれて積まれていた。終電から始発までのわずかな時間、彼はここで短い睡眠をとるという。その部屋を見て、私は、自分が駅員になった日のことをぼんやり想像した。

　深夜、終電車の赤いテールランプが闇のなかへ消えてゆく。私はそれを指で差して確認をする。駅舎にもどり一日の業務日誌を書く。灯《あか》りを消す。仮眠室に布団を敷く。布団のなかで目を閉じる。真夜中の駅はきっとシーンと静まり返っているだろうな。ひとりで寝るのは寂しいだろうな。家に帰りたくなるかもしれない。でもこんな狭い部屋で体をすぼめて寝られたら、まるで秘密基地にいるみたいでちょっと楽しいだろうな。

　そんな子どもらしい、たわいもない想像をしながら、ちょっと汗の匂いのするその部屋を眺めたものだった。


　電車は、今も昔も子どもたちのあこがれの的である。ほとんどの子どもは運転士になりたい、と思うようだ。が、私はちがった。私の夢は断然、駅員さんだった。

　こんな小さな駅舎にひとり暮らして、切符を切ったり、指差し確認をしたり、合図灯を振って信号を送ったりする。数かぎりない斜線が引かれているダイアグラムを見てお客さんに乗換時刻を教えてあげたり、プラットホームの花に如雨露《じょうろ》で水をやったり、そなえつけの駅のトイレを掃除したりする。

そんな風に一日を過ごせたらどんなにかいいだろう。そうして朝から夜まで一生懸命働いて、私は、あの秘密基地のような仮眠室で膝をかかえて眠るのだ。私はそんなことを夢見るような子どもだった。

漕代駅が無人駅になってもう十年以上になる。青年がいた小さな駅舎はトタン板でがっちりと閉鎖された。駅頭にはタッチパネルの自動改札機がポツンと置かれている。

なにかすべてが夢のようだ。

おおつじ・たかひろ（歌人）　「日本経済新聞」十月二十九日

演劇は「恥ずかしい」

関田育子

私は演劇作品を創ったり、教育番組で放送されるドラマの脚本を書いたりしている。大学では、演劇史や、哲学などを学んだ。また、映像技術入門という三脚を組み立てる授業や、身体ワークショップという少し変わった表現の授業も受けた。実際に、演劇作品を創るという授業もあった。しかし、演劇の創り方を教わる機会はなかったように思う。創作の仕方というものは、そもそも決まりがない。その中で「〇〇をテーマに演劇を創って来てください」と課題が出されても、演劇素人の私は困惑していたのを覚えている。ほとんど観劇経験のない私は、「演劇ってこんな感じだよなあ」と偏見に近いイメージで創っていた。大げさな感情表現、暑苦しい表情、日常では聞かない大きな声……このようなイメージを持っていたので、演劇は少し「恥ずかしいもの」と捉えていた。そしてある時、「演劇ってなんでこんなに恥ずかしいことになっているのだろう」と疑問が湧いてきた。そこで、私は自分なりに演劇について考察しながら創作してみることにした。

そもそも演劇では大きな声を出さなくてはならないわけではなく「静かな演劇」というものが存在した。それは１９９０年代に注目された現代演劇の一つの傾向で、日常レベルのエネルギー量で演じられる演劇を示している。ただ、声量以外にも、演劇の恥ずかしさとして「演技をする」ことが大きな壁としてあった。演劇では、自分とは別の何者かになったり、ここではないどこかに居るように振る舞ったり、時には見えないものに語りかけたりすることがある。そこはかとなく広がっている嘘の積み重ねが、とんでもなく恥ずかしい。演技は必ずしも嘘ではないが、恥ずかしいと感じているときにはもう「嘘」と化してしまっている気がする。

演劇は、既に戯曲によって設定された場所や登場人物（＝虚構）と、劇場や俳優の身体（＝現前）とが二重になっている。それらの距離を、演じることや舞台美術などで、できるだけ近づけようとする。そのことが、私の思う「恥ずかしさ」を増幅させていた。そこで、この演劇の特徴とも言える二重性をむしろ意識して作品を創ることで、「恥ずかしさ」をすこし払拭できるのではないかと考えた。そうすることで観客も作り手も「嘘」をついていることを共有できる。つまり、堂々と「嘘」を共有することで「恥ずかしさ」は薄くなっていくのではないかと考えた。

では、どのように創作したら良いのだろうか。私は戯曲を書くときにできるだけ虚構に没入しないように心がけている。そのために、執筆時は劇場の舞台図や、写真を頻繁に見ている。そして何も見なくても、舞台図を自分で描けるようになるまで描いてみる。その作業と並行して、絵コンテ（のようなもの）を描いている。そこには部屋や駅、道に咲く花など、そのシーンに合わせた背景と俳優がどの方向を向いてどのように立っているかを示す棒人間とが描き込んである。私たちの舞台では、セットを組んだり、小道具や衣装を纏うことがないので、この絵コンテは全くの虚構であるが、一度、紙に描いてみる。舞台図という圧倒的な現前の図と絵コンテという虚構の図を行ったり来たりしている間に台詞を書く。その際も虚構と現前とのバランスを意識している。あまりに長い台詞や、状況を説明するような台詞になると虚構の方に加担している感覚になる。なので、なるべく簡潔な台詞になるよう心がけている。その意識を持って書くと、あるリズムが生じるように思う。例えば、

「お腹が空いただろう」

というような何気ない一言も、短くすると

「空いたろ。お腹」

となる。少しでも一文を短くするために体言＝名詞が文末に来ることが増えた。些細

な事かもしれないが、名詞を遅らせることで、「嘘」への到達まで時間を稼いでいるのかもしれない。お腹が空いていない俳優たちが、お腹が空いていることになるまでの僅かな時間をつくっているのかもしれない。似たようなことが俳優の演技に関しても言える。私たちの演劇における俳優の発話は、役柄の感情に根拠を置いていない。そのためか、「無表情、棒読み」と評される。演出をする際、そのようにしてほしいと明言したことはないが、結果、観客にそのように見えているのにはわけがある。例えば、「ゆっくり　歩くきれいな　女子高生」を演じるように戯曲に書かれていたとする。通常なら、俳優はまず、「女子高生」になろうと制服を着る、あるいはそう見えるように振る舞うかもしれない。そして次に、「きれいな」という部分を再現しようとメイクを施したり、そう見えるようにしてから、「ゆっくり」と「歩き」はじめる。つまり、名詞→形容詞→副詞→動詞の順に演技が組み立てられていくように思う。しかし、私たちはまず、動詞から演技を始めている。つまり、まず、「歩く」。そしてそこに「ゆっくり」という副詞が伴ってくる。そしてその動作主が「きれいな」「女子高生」であることが視覚的にではなく、認識されることを演技としている。つまり、見た目は全く女子高生ではない人でも、動詞を遂行し、会話をしていく中で最終的に名詞である、女子高生のように感じられれば、それは演技である。直接的にその名詞を表象するだけが演技ではないと私は思っている。このような「嘘」の共有の仕方も「恥ずかしさ」を払拭するのに役立つ。無理に何者かになろうと（名詞的な移行を）するのではなく、俳優と役柄にある距離を提示したまま演技することで、「これ、嘘なんですけどね」と軽やかに言ってしまえるからだ。
　このようなことを考えながら演劇を創っていても、未だに「恥ずかしさ」はある。特に稽古場で自分の考えてきた戯曲を配っているときなど、赤面するほどである。いつも付きまとうこの「恥ずかしさ」からはなかなか解放されない。

せきた・いくこ（劇作家・演出家）　「文學界」7月号

教えてあげたい

乗代雄介

岩宿遺跡を発見して日本に旧石器時代があったことを証明した相沢忠洋は、少年期の一家離散の末に奉公に出され、大学に行けるはずもなく、行商をしながら勉強と発掘に励んだ在野の研究者だった。私はこの人の生き方がとても好きだ。

彼がそのような生き方をすることになったきっかけの一つに、12歳の頃の帝室博物館(現東京国立博物館)での出会いがある。みすぼらしい服を気にしながら意を決して入った相沢少年は、石斧《せきふ》や土器を夢中で見ていた閉館間際、若い守衛さんから「こういう遺物が好きですか」と声をかけられた。いろいろ説明してもらった後、名前と住まいを教わり、それから何度も訪ねていったそうだ。古代への憧れを膨らませてくれたその人、数野甚造と知り合えた幸運について、相沢忠洋はくり返し語り続けた。

博物館のひっそりした空気に包まれると、必ずこの話を思い出す。過去たちが息をひそめる展示ケースの間を歩くと、自分が相沢忠洋でも数野甚造でもあるように感じる。じっくり展示を見れば知らないことがいくらでもあるけれど、ぼんやりそれを眺める子供たちには何か教えてあげられるような気もする。

とはいえ、巷《ちまた》には「教えたがりおじさん」なんて言葉もあり、わざわざ話しかけることはない。ところが先日、東京の府中市郷土の森博物館を訪れた時、チャンスがきた。

展示の片隅で、小学校中学年ぐらいの子供たちが何やら騒いでいる。一人、壁に寄りかかっていた女の子と目が合った。物怖《ものお》じしないタイプらしい彼女は近づいて来て、「すみません、アレわかりますか」と他の子らが頭を寄せている方を指さした。見ると、ケヤキに関するクイズだ。アクリルブロックに埋め込まれた花が3つ、葉も3つ、同じ大きさに切り出された木材も3つ置いてあり、その手前に「花」「葉」「幹」と示されたくぼみがある。そこに、それぞれケヤキのものを選んで置き、ボタンを押して画面にご注目ということだった。「ねえ、やってくれるって」女の子の声で振り返った子供たちが場所を空け、やるとは一言も言っていない30代の男がクイズの前へ。

この時ほど、重いポケット図鑑を何冊も持って野を歩き回った日々が報われたことはない。不正解のものが何なのかまで、元塾講師らしく丁寧かつ軽妙に説明し、花と葉のブロックを置いた。子供らの賞賛《しょうさん》を「お静かに」と制して笑いまで誘う。そんな得意の絶頂で手が止まった。「幹」。樹皮ならわかるが、内部は無理だ。図鑑に載っていないからだ。子供たちの目は輝いている。ピンチだ。

そばに大きなケヤキの幹の輪切りの展示があったが、古色蒼然《そうぜん》としてよくわからない。しかし、ものは使いようだ。「あれをよく見て、考えて置いてごらん」教育的かつ姑息《こそく》な私の発言で、子供たちはまんまと取り組み始めた。危機を脱した私がえらそうに腕を組んで見守る中、「色が似てるもん」という理由で濃い木材のブロックが置かれた。そんな単純なことか？　と思いつつ、まあよかろうという顔でボタンを押す。画面のケヤキがぐんぐんのびて、鮮やかな緑に包まれた。正解。無邪気に喜ぶ子供たちに腕をつかまれながら、静かに目を閉じ、自分を責めた。こんなの、数野甚造でもなんでもない。どうか、あの子供たちが読みませんように。

のりしろ・ゆうすけ（作家）　「日本経済新聞」七月十一日・夕刊

ゾウ

須藤一成

ゾウの英名はエレファントだが、アフリカのショナ語では日本語と同じ「ゾウ」であると、ジンバブエのショナ人のガイドに教えてもらった。遠く離れた日本とアフリカで、同じ名前で呼んでいると言うのは不思議な感覚だ。

日本には、かつてユーラシア大陸と陸続きだった頃にゾウがいたが、2万年ほど前にはいなくなったようだ。今では化石が発見されるくらいだが、日本人におなじみの動物だ。ゾウは巨大な動物であるが、丸くかわいらしい体つきや長い鼻、優しそうな目で多くの人たちを惹《ひ》きつけている。

しかし、象牙を目的に殺されてきた歴史がある。ゾウを殺したり象牙を取ることが禁止されたりしている現在でも、密猟が後を絶たない。以前、牙のないゾウを時折見かけて不思議に思った。後で分かったことだが、南アの国立公園では、ゾウに麻酔をかけてあらかじめ牙を抜くという対策が実施されていたようだ。牙がないゾウは密猟されないからだ。ゾウを守るための、仕方がない選択とはいえ心が痛む。

長い間迫害されてきたにもかかわらず、普段はおっとりとして人を恐れる様子はない。むしろ友好的に思えることも少なくない。ある日、観察小屋へと続く登りのスロープの途中に、1人の女性が立っていた。すぐそばにはゾウが立っている。スロープ上の女性から手が届きそうなところに、ちょうどゾウの顔がある。お互いに立ち尽くして見つめ合っている。どちらも動くこともしゃべることもないのだが、心は通じ合っているように見える。まるで恋人同士のようなのだ。そうでなければこれほど至近距離で、お互いが安心しきって対面はできないだろう。お邪魔《じゃま》しないようにその場から遠ざかったことは言うまでもない。

国立公園内では、道路であっても野生動物が最優先だ。さまざまな動物たちが道路を横断する。ゾウはゆったりと道路に出て来る。体が大きいので、道路脇にいるだけで車は通れなくなる。道路脇の木の葉を食べ始めると、通りがかった車は皆、手前で止まってゾウが過ぎ去るのを待つことになる。ゾウは通せん坊していることが楽しいのか、ちょっと意地悪っぽくなっていつまでも食べるのをやめない。国立公園の閉門時間が迫っている時などは、早く移動してくれることを祈るしかない。

ゾウが動き始めたと思ったら、今度は道路上を堂々と歩いて行くこともある。そんな時には、ゾウが歩いて行く方向で足止めされていた車は、ゾウの歩きに合わせて一斉にバックし、ゾウの背後の車はゾウの歩きに合わせて前進する。そんな滑稽なシーンが実際に起こるのだ。バックする車の人たちは真剣だ。なぜなら、ゾウの虫の居所が悪いと、車をひっくり返されたり踏み潰《つぶ》されたりしかねないからだ。国立公園のレセプションの掲示板には、そんな車の写真が貼り出されている。

本気なのか、ちゃめっ気たっぷりな気まぐれなのか？　十分気をつけなければいけない動物であることには違いない。

すどう・かずなり（動物写真家）　「京都新聞」一月十九日・夕刊

月の光とクリスマス

小池真理子

空を見るのが好きで、しょっちゅう眺めている。空がよく見える土地に長く暮らしてきたせいだと思う。

とはいえ、夜更けてひとり、闇に包まれながら見上げる空は少し怖い。夜の精霊たちがひそひそとまわりに集まってくるような感じがする。音もなく瞬き続ける星々は、じっと見ていると、吸いこまれていきそうになる。それでも、よく晴れた冬の晩など、ダウンを着込んでマフラーを何重にも首に巻きつけ、気づけば外に出て空を眺めている。やっぱり好きなのである。

物理にも科学にも浅学非才、無知同然なのに、TVで宇宙に関する科学情報番組を見つけると、必ず観《み》てしまう。空が好きなことと関係があるのかどうか、自分でもよくわからない。つい最近もそんな番組を観て、宇宙の年齢が138億歳であること、そして、「宇宙は球形をしている」という仮説が、20年ほど前にロシアの数学博士によって初めて証明された、ということを知った。

宇宙は球形をしている、と聞けば、やっぱりそうか、よかった、と安堵する。かたちもなく無限に拡《ひろ》がっているばかりで、始まりもなければ終わりもないのだ、と言われるよりも遥《はる》かに素直に納得できる。

とはいえ、宇宙が球体として存在するならば、その外側はどうなっているのか。別の宇宙が連なっているのか。

それとも、ただの、広大無辺な「無」が拡がっているだけなのか。時間の存在しない、果てしない「無」が。……考えれば考えるほど、脳の中がざわめいてくる。

私は20代のころ、子どもを作らない人生を選択した。そのせいだろうと思われるが、時間の流れ方が人と異なっているように感じることがしばしばある。

子どもがいれば、子どものライフイベント（入学、卒業、就職、結婚など）が、親の時間を区切っていく。ある種の節目、ひとつの目標、ゴール、のようなもので、それは子どもをもつ人々が共通して持っている時間のリズムと言える。

一方、子どものいない生活の中では、知らぬ間にその種の感覚が希薄になっていかざるを得ない。私たち夫婦が、年中行事を忠実にこなしてきたのも、無意識のうちに自分たちで時間の節目を作ろうとしていたからだと思う。

まわりから呆《あき》れられるほど、なんでもやった。正月の飾りつけ、おせち作り、節分の豆まき、雛《ひな》祭り、クリスマス……。

夫の肺に、手術不能ながんが見つかる直前のクリスマスの夜。私たちは翌年に起こることなど想像もせず、いつものようにローストチキンと小さなクリスマスケーキを用意し、暖かな自宅で過ごした。

数日前に降った雪が庭を白く染めていた。よく晴れた日だったので、気温はぐんぐん下がっていき、氷点下の凍《い》てつく空では月が静かなつめたい光を投げていた。

折しも、つけっ放しにしていたクラシック専用の音楽チャンネルからは、アメリカの現代作曲家、バーバーの「弦楽のためのアダージョ」が流れてきた。

私は窓のカーテンを全開にし、室内の明かりを消した。ガラス越しに青白い月の光が射しこんできた。庭の小さなフェイクツリーの枝に雪が積もっているのが見えた。クリスマスカードの中の樅《もみ》の木みたいだった。ツリーに巻きつけた水色のイルミネーションが規則正しく点滅していた。

夫が言った。「この曲ってさ、ケネディの葬式の時に流れたんだよ」

何でもよく知っている男だった。私たちはケネディが暗殺された時のことを話題にし、クリスマスケーキを余さず食べ、コーヒーを二杯ずつ飲んだ。

どうでもいいような情景が、次から次へと甦《よみがえ》ってくる。寄せては返す波のように、とどまることを知らない。

記憶は連環し続け、流れる時間もまた、行きつ戻りつを繰り返す。球形の宇宙の中のみならず、ちっぽけな私の意識の中でも、それらは今も同じようにぐるぐると、飽きることなくまわり続けている。

こいけ・まりこ（作家）「日本経済新聞」十二月二十五日

巨星は一日にしてならず

郷原　宏

　西村京太郎氏の訃報に接して「巨星墜《お》つ」という成句が浮かんだ。めったに使ってはならない言葉だが、この作家の死を表現するのにこれほどふさわしい言葉はない。西村氏は紛れもなく日本ミステリー界の巨星だった。その巨星がいま墜ちたのである。読者の悲しみは深く大きい。

　もちろん、西村氏は最初から巨星だったわけではない。1965年に「天使の傷痕」で江戸川乱歩賞を受賞したころは、松本清張の衣鉢を継ぐ社会派の作家だった。

　しかし、社会派の旗を振りかざすことに後ろめたさを感じてすぐに方向を転じ、スパイ小説、パロディー、時代小説、海洋冒険小説などを手掛けた。73年に「赤い帆船《クルーザー》」で初登場した十津川省三（当時は警部補）は、海洋事件専門の刑事で「海のエース」と呼ばれていた。このころの西村氏は「小説はうまいけれど、なぜか売れない作家」といわれていた。

風向きが変わったのは、78年に「寝台特急《ブルートレイン》殺人事件」を発表してからである。寝台特急「はやぶさ」を動く密室にしたこの作品は、旧国鉄が展開した「ディスカバー・ジャパン」に象徴される観光旅行キャンペーンや、折からのブルートレイン・ブームの追い風を受けて爆発的な売れ行きを記録し、売れない作家を一躍ベストセラー作家に押し上げた。

以来、40年以上、警視庁捜査1課の十津川警部を主人公とするこの鉄道推理シリーズは、多くの同時代作家をも巻き込んで空前の「トラベル・ミステリー」ブームを作り出しながら、日本ミステリーの最前線を走り続けてきた。生涯著作600冊超という驚異的な執筆量はもとより、衰えを知らぬ人気の高さと持続力という点でも、これはギネス級の世界記録といっていいだろう。

西村氏はかつて「自分はキセル作家だ」と語ったことがある。不正乗車の話ではない。小説を書くとき、書き出しと結末だけを決めておいて、途中の展開は筆に任せるという意味である。それを聞いて、私は西村ミステリーの面白さの秘密に触れる思いがした。

この作家の書き出しと結末のひねりの鮮やかさには当初から定評があったが、十津川警部シリーズの自然な流露感は、このキセル式小説作法の効用にほかならぬことに気付いたのである。それが西村氏の身に付いたストーリーテリングの力量によるものだったことは言うまでもない。

その文体は、近年ますますセンテンスが短くなり、改行と句読点が多くなった。自分では体力が衰えたせいだと謙遜していたが、私見によれば、あれは本を読まなくなった若い人にも読んでもらうための工夫だった。巨星は一日にしてならず。人知れぬ創意と工夫がその生産力と人気の高さを支えていたのである。

ごうはら・ひろし（文芸評論家・詩人）　「京都新聞」三月十五日

女ともだち

桐野夏生

良好な友人関係を続けることは、案外難しい。そう思っている人は、多いのではないだろうか。今は、LINEやメールで無難にコミュニケーションを取ることができる。それで何とか、角を立てずに済むことがあるけれど、実際に顔を合わせると、表情や口調が気に障ったり、何となくしっくりしないこともある。そんな時に焦って気を遣い、思ったことも言えずに疲れたりもする。

私には、高校時代から仲良くしている友人たちがいる。かれこれ五十年以上の付き合いになるが、ずっと仲が良かったわけではない。

二十代、三十代は、誰もが夫の転勤や子育てなどで余裕がなく、あまり会うこともできなかった。私は一人だけ仕事をしていたから、ほとんどが主婦になった高校時代の友人とは、疎遠になってしまった。悩みの質が違う、と互いに思っていたのではないだろうか。

今なら、ＳＮＳなどで簡単に繋がり続けることができただろうけれども、当時は年賀状やクリスマスカードの遣り取りで近況を知るか、噂で聞く程度だった。

再び親しくなったのは、皆がやっと落ち着いたと思える五十代だっただろうか。誰もが、ひと波乱乗りこえたというような充実した表情をしていた。今では、ＬＩＮＥで近況を報告し合い、年に二、三回会って食事をする。コロナ前は、海外旅行も何度かした。

もちろん私たちも、いつも平穏というわけではなかった。誤解や小さな諍いもなくはなかった。それでも、関係が完全に途切れることがなかったのは、高校時代から、その人となりを知っているという信頼感ゆえだろう。それが、寛容さを生む。何かあっても、あの人のことだから仕方がないよね、という暗黙の了解で包み込んでしまう。

それでも若い頃の私は、仕事をしていたせいか余裕がなく、苛立つことも多かったから、扱いにくい友人だったに違いない。友人のひと言が気になって、眠れなくなることもあった。思い出すと腹立たしくて、いっそ縁を切ってしまおうかとまで思ったりもするのだが、その勇気もなくうじうじする。それも、相手が思いきって口にしたのならともかく、口を滑らせたような失言だったりすると、これまた本音が出たのではないかと邪推し、腹立たしさが助長されると同時に自己嫌悪も生じて、どう対処していいかわからなくなる。

こうなると、悪いスパイラルに入ってしまう。

では、少し距離をおこうと、ほんのちょっとだけ疎遠になったりもするが、また何かのきっかけで関係が復活してしまうことがある。ところが、その時に相手とじっくり話すと、こちらの誤解だったり、被害妄想だったりすることもあるし、逆に、相手がこちらの言動に傷付いていたりすることもあるのだから、お互い様なのだ。

もちろん、こんな行き違いはごくたまにしか起きない。普段は会えたのが嬉しくて、互いに堰を切ったように喋る友人たちでもある。それに、困った時は助け合う、という暗黙の了解がある。疎遠になったり、復活したり、大きく膨らんで薄くなったり、縮んで濃くなったり、柔軟に伸び縮みするような関係が、良好な友人関係だと思う。

小説を書き始めた頃、ある年上の女性と親しくなった。彼女も書く仕事をしていたので、勝手に先輩だと思って敬い、家にも遊びに行った。その時、彼女が、私の初期の小説を、「軽薄だ」と何度も言った。今でも、その表情や口調まで覚えているので、私はとてもショックを受けたのだろう。そのまま縁遠くなってしまった。

三十年以上も音信不通だったが、先日、彼女から、ある出版社の編集担当者に電話があったという。「昔の友達だけど、桐野さんは私のことを覚えているか聞いてほしい」と言われたそうだ。もちろん、覚えている。それは私が衝撃を受けたからで、その傷が癒えるのにしばらく時間がかかったからだ。彼女は自分の発言を忘れているから、連絡をしてきたのだろうか、と不思議だった。

健全な友人関係とは、相対的なもののように思う。つまり、傷付け、傷付けられ、である。そこが対等でないと、友人関係とは言えない。というか、続かない。だから、彼女と私は友人関係ではなく、単に私が憧れを持っていただけの人だったのだろう。この稿を書くに当たって、そんなことを思い出したりもした。

仕事や趣味を介して知り合う人々もまた、長い付き合いになる。そんな人たちは、友人というよりも、「仲間」と呼ぶべきだろう。仲間同士は共通の目的があるせいか、互いの内面にあまり踏み込まない。だから、傷付け合うことは滅多にない。会えば談笑し、趣味の話に興じて楽しく過ごせる人たちである。仲間とは、場と時間を共有している人たち、と言うべきか。

私は三十年来、美容バレエ教室に通っているのだが、その教室の顔ぶれは、先生も含めてほとんど変わらない。週に二回は必ず会って、皆一緒に歳を取ってゆく。まだ三十代終わりに通いだした私も、今は七十歳。先輩は八十歳近い。

互いに顔を見合わせては、歳を取ったわね、と笑い合う。何と楽しく愉快な関係だろうか。彼女たちは、真の仲間なのだと思う。私にとって、仲間も大事な人間関係である。

友人、仲間、そして親友。女ともだちは皆愛おしいけれども、この年齢になると、悲しい別れがある。何でも話し、相談してきた友人は、とりわけ特別な人たち、つまり親友だ。親しい分、傷付け合ったこともあるし、疎遠になった時期もある。だけど、彼女たちは私の傷を知っているし、私も彼女たちの傷を知っている。その意味で大事な人たちだったのに、皆、私を置いて逝ってしまった。

Yさんは、私がシナリオ教室に通っている時に知り合った。私はまだ二十代後半。彼女は私より三歳年上の、映画や小説が好きな頭のいい人だった。最初に会った時、白いエナメルのコートに白いブーツを履いていた。こんなお洒落な人がいるのか、とそのカッコよさに痺れたものである。

料理も編み物も何でも玄人はだしでできたし、物知りで読書家だから、私はいろんなことを教わった。小説や映画、音楽のことばかりでなく、香水や花の種類、着物の見立て。ローズ・ギャラリーで、一本ずつ色の違うバラを買ってプレゼントしてくれたりもした。何も知らない私に、彼女は厭味なくいろんな世界を教えてくれる先生だったのだ。何かの決断が必要な時に、彼女に相談すると的確な答えが返ってきたものだ。

とても残念なことに、四年前に彼女はこの世を去った。私が彼女の亡骸の両脚を抱えてお棺に入れたが、羽根のように軽かった。

今でも、Yさんが生きていたら何と言っただろう、と思うことがたくさんある。誰にも言えないことを相談していたから、彼女は私の分身でもあった。気の強い私に辟易したこともあっただろうに、寛大で素敵な人だった。彼女の死とともに、私の半分も消えてなくなったような気がする。

そして、もう一人の私の分身はMさんだ。Mさんは、仕事で知り合った優秀なライターだった。彼女は昨年、緩和ケア病棟に入ったきり、コロナ禍のせいで会えなくなった。電話も通じなくなって心配していたら、ひと月後、弟さんから、亡くなったというショートメールが来た。電話が通じなくなってから一週間後に亡くなったという。彼女も私のことをすべて知っていた親友である。YさんとMさんが亡くなって、私の半生は喪われたと寂しく思う日々である。

友人も仲間も、皆大事な人たちだが、親友だけがいなくなってしまった。ということは、私も誰かの親友ではなくなった、ということだろう。誰かの親友になりたいと願う、今日この頃だ。

きりの・なつお（小説家）　「婦人公論」8月号

間違えてはいけない問題

中山祐次郎

2007年2月17日。医師国家試験1日目、夕刻。26歳の僕は鹿児島大学医学部の同級生とともに試験会場である熊本県の崇城大学にいた。医師国家試験は「必修問題」と「臨床問題」に分かれる。「必修問題」は、周りの人が何点を取ろうが、平均点が何点だろうが、必ず8割以上を正答せねば問答無用で不合格になる。その分、基礎的で「絶対に間違えてはいけない」問題が出るのだ。

国家試験初日の16時10分からの50分間で解く50問が、この必修問題だった。ここで40問以上正解でなければ、国家試験に落ちてしまう。落ちたら「国試浪人」と呼ばれ、1年間勉強をして来年の2月に後輩と一緒に受けることになる。そんな恐ろしいパートを、初日の緊張と朝からの試験で疲れた頭を使って解かねばならないのだ。

さっそく悩んだ問題があった。手術の当日になって「手術は死んでもいやです」と看護師に言う成人患者に、担当医としてどうすべきか、という問題だ。選択肢は「1　予定通り手術を行う」「2　手術以外の治療法を考える」「3　他の病院へ転院をすすめる」「4　患者の説得を家族に依頼する」「5　患者から直接話を聴いてから判断する」だった。

一つを選ばねばならない。2、4、5が良さそうだが、絞りきれない。問題を作った医者の意図はなんだろうか。説得などするな、か。いや、患者の自己決定権を重視せよ、だろうか。それともまさかの看護師を疑え、だろうか。直接自分で聞け、ということか。

なぜこんな悩ましい問題が、重要な必修問題になるのだろうか。僕は嫌になった。しかし僕は受験生だった。なんの権利も持たず、ただ正答のみを求められ、不正を監視される受験生だ。今ならどこぞに痛烈な批判記事でも書くところだが、ただ迎合するしかない。

そこで、なぜこの問題が必修問題なんだろう、と考えた。きっと、医師として必ず修めるべき態度があるに違いない。だとすると、やはり5だろう。これが一番まともそうだ。人の情報を信じてはいけない、という意図だろうか。

外科医になった今、思う。もしこの問題のようなことが本当に起こったら。外科医の朝は忙しい。7時半から担当患者さん30人ほどのカルテを全てチェックし、回診で全員に会い、何人かの腹に入った管を抜き、重症患者さんの治療を議論し、会議に出、夜勤看護師さんのグチを聞き、研修医にミニレクチャーをするのだ。

いくつかの予定をすっ飛ばしてその患者さんの部屋に行き、話を伺う。死んでも嫌だと言われても、やらねば命に関わることを再度説明する。手術室の入室時間は迫っている。それでも嫌だと言われたら、今後どういうことになるかを説明し、ご家族とともにもう一度説得を試みるだろう。

それでも拒否であれば、手術室へ走り手術室看護師と麻酔科医師に頭を下げ、手術の助手をお願いしている同僚外科医に謝り、上司に報告する。大変だ。同意のない手術は傷害罪に問われるので、絶対にしてはいけない。

ちなみに正解は「5　患者から直接話を聴いてから判断する」であった。僕は試験会場で看護師を疑い、あちこちに頭を下げ、医者になった。


なかやま・ゆうじろう（外科医・小説家）　「南日本新聞」一月十六日

（笑）でこの笑いは伝わるか

武田砂鉄

インタビューをしたり、逆にインタビューを受けたりする仕事なので、とにかく繰り返しインタビュー原稿のチェックをしている。自分が参加しているわけではない対談やインタビューを読むと、「この人たち、とってもスムーズに会話をしているな」と感心するのだが、実際にスムーズだった場合とそうではない場合があるはずで、おおよその「スムーズ」は編集作業によって作り出されている。たとえば、こんな発言があったとする。

「いや、だから、そうですね、その、この社会の今っていうのは、正直なところ、ちょっとあんまり良い方向に向かっていないってところっていうか、でも、それが、どこからきて、どこに向かっているのかが、あんまりよく見えない、ってところはあるというふうな感じじゃないですか」

話が下手くそな人だと感じるかもしれないが、人が誰かに向かって話す様子を正確に文字起こししてみると、これくらいのものである。でも、掲載される時には「今、この社会を見渡していると、正直、あまり良い方向には向かっていないですよね。そして、どこから来て、どこへ向かっていくのかさえ見えない、これが不気味なのです」などと、スムーズに読める文章になる。こういう作業が繰り返され、掲載される原稿ができあがっていくのだ。

感情表現は繊細

いまだに慣れないのが「(笑)」の扱いで、送られてきた原稿に入っていても、自分がまとめる原稿に入れても、「果たしてここに『(笑)』を入れていいのだろうか」と悩む。この「(笑)」に基準はない。その場でこれくらいの笑い声がしたから入れる、これくらいでは入れるべきではない、なんてものはない。どんなにささいなことでもニコニコ笑ってくれる人がいれば、仏頂面で淡々としゃべり、そんな人が少しだけ歯を出してニコリとする場合もある。後者のニコリのほうが貴重なのだが、その笑いを「そんなことないですよ(笑)」などと表現すると、あたかもそこだけ興奮しながら面白がったように読まれてしまう。対談やインタビューの盛り上がりを伝えたい気持ちはあるので、どこかに

「(笑)」を入れたくはなる。「ワッハッハ」や「アハハハハ」と、具体的な笑い方が伝わるように表記されている場合もあるが、こうなると今度は緊張感が崩れる気がして、あまり好きではない。

インタビュー原稿をまとめながら、そもそも笑うってなんだろうと考え始める。大笑い、高笑い、愛想笑い、苦笑い、含み笑い、薄ら笑い……笑いにはいくつもの種類があるが、目の前で起きた笑いがどれに該当するかは、明確にわかるわけではない。とっても楽しそうに笑っているつもりでも、相手からは含み笑いだと思われたり、相手の大笑いを愛想笑いと受け止めていたりする可能性もある。

インタビューや対談をしていて面白いのは、ゆっくり始まった対話が、一気にスイッチが入る瞬間。ふとした一言や、ある共通点を見つけると、話す内容が途端に充実したものになっていく。読み応えのあるインタビュー・対談記事には、その瞬間もちゃんと残されているはずなのだが、実作業として、これをどう伝えるかが難しい。「おお、そうでしたか(笑)」などと「(笑)」を入れたくなる欲求にかられるが、ちょっと違う。気持ちよく言葉が飛び交い始めたのを伝えるのって、やっぱり笑いではない。

新聞にしろ雑誌にしろ、記事に「(笑)」があると、これはどういう意味合いなのだろうと考え込む。特に意味はなく、ただただ大きな声で笑ったのかもしれないが、では、その場で起きていた全ての笑いが表記されているかといえばそんなことはないはずなので、その「(笑)」は恣意《しい》的に選び抜かれている。ならば、その意図とはなんだろうと考え込む。そんなの、健全な読み方ではない。

雰囲気表すには

インターネットの記事や動画配信の場合、そのインタビューや対談の全編を確認できる場合も多い。それはそれでうれしいのだけれど、限られたスペースに詰め込むようにまとめ上げた記事を読むのが好きだ。その日の話の要素が凝縮されていて、長い話をコンパクトにまとめた苦労を想像する。「(笑)」のような装飾も最低限で、二人が心地よく話し合っているのが伝わってくる。

そぎ落としながらスリムなボディーを作り上げる、そんなインタビューや対談を読みたい。そういう記事には「(笑)」が多用されていない、というのが自分なりの調査結果である。コレ、誰かにわかってもらえるだろうか。誰もわかってくれなかったりして(笑)。

たけだ・さてつ(ライター)　「北海道新聞」十月四日

野菜が甘い

綿矢りさ

子供のころ、食の強烈な記憶として「にんじんのグラッセ」がある。レストランでハンバーグ定食などを頼むと付け合わせとして出てきて、そちらはあんまり記憶に無く普通においしいという感じなのだが、問題はお弁当に入ってるにんじんのグラッセだ。忙しい朝に母親が作ってくれたにんじんのグラッセ、一口めはバターと砂糖の甘みがトロリと舌を包むが、噛《か》んでるうちに（おいおい、にんじんが全然隠せてないぞ）という状況になってくる。子供のころにんじんが嫌いという訳ではなかったが、まあ野菜って感じで食べにくいなとは思ってて、一口めをバターや砂糖でごまかされた分、いつもよりにんじんの苦味や薬くささが強調されて、思わずシブい顔になってしまうのだった。

今では自分が作る立場になり、にんじんのグラッセすら調理がめんどくさくて、そのまま切ってスティックにしてサラダとして食べたりしていたが、それでも全然平気なほど、もう最近のにんじんはめちゃくちゃ甘い。特に蒸すと秋っぽい濃い朱色になって、味は「デザートかな?」と思うほど濃くまろやかでスイートだ。同じ変化はさつまいもにも感じていて、じっくり温めてから食べると「スイートポテトかな?」と思うほど、加工品レベルにねっちゃりと甘い。焼きいもが好きすぎて店頭で買うだけでは飽き足らず、いもを焼くための専用の機器を買った。熱せれば熱するほど紫色の皮の下から濃い飴《あめ》のような蜜がでてきて糸を引くのがたまらない。

トマトも昔はもっとずんぐりして皮も厚めで、色も薄く味も野菜然としていた。噛んでもすぐ飲み込めないけど汁気が多いから、味はあっさりして好きだけど食べにくいなあなんて思ってた。最近は高リコピンの種類など増え、一つ一つ丸くつやつやと赤く光り、皮の主張も減り、よりジューシーになった気がする。お弁当などに入ってるプチトマトも、昔はめちゃくちゃ酸っぱいハズレが時々当たって口がきゅーっとなっていたのに、今は大体どれも間違いはないから安心して口に運べる。

なんなら野菜全般が子供の時よりもだいぶえぐみの少ないまろやかな味に感じて、蒸し野菜のような素材をそのまま生かすような料理法でも十分美味《おい》しくなった。選ばれし高級野菜じゃなくても、である。昔の野菜に感じていた、芯が強くてシャキシャキ動く、背筋が伸びた厳しい人のようなイメージが、ぼやけ始めている。

きっと農家の方々の育て方の工夫や品種改良の賜物《たまもの》だろうと家族に話していたら、弟は鼻で笑って「味がそこまで変わってるわけない。年取って苦味を感じる機能が衰えただけや」と言う。えー違うって、と答えながらもこれには思い至ることがあり、私も加齢により苦味を感じにくくなるという内容のテレビ番組は見たことがあるし、確かに美味しいと感じるものが昔と今とでは全然違ってきたなと感じる。昔はあんまり注目してなかった茄子《なす》の揚げ浸しなんかも今ではエース級のごちそうで、子供のころ嫌だった茄子のしぶ柿のような後味も今では感じない。いくら品種改良を重ねても、あれほど個性的だった茄子の後味が消え失《う》せるものだろうか？　そういえば水菜も昔は鍋に入れて煮るなどしなければ食べられなかったけど、今では生でサラダとしてがしがし食べられる。でもこれは私だけの変化ではなくて、いつかのタイミングで外食でも水菜のサラダのメニューがワッと増え出したのを覚えている。水菜の場合は、変化したのは水菜側なのではないかと思う。

野菜が変わったのか、私が変わったのか。もしかしたら両方変わったんだろうか。だとしたら相互の効果でたとえば二十年後に六十歳近くなった自分は、野菜を口に運ぶ度に箸を落としてしまいそうになるほど驚いているかもしれない。なんとなく、せっかくだから〝昔食べてた野菜の味〟を一生忘れずに生きていきたいものだ。

――わたや・りさ（小説家）「東京新聞」五月十三日・夕刊――

どう考えてもおかしい

内澤旬子

うちにはヤギが五頭いる。「うちに」と書いたがヤギは大型犬よりも大きいので、体育館くらいある大きなビニールハウスの廃屋の中で自由に暮らしている。

最初は一頭だけ、家の周りの草を食べてほしくて軒下で飼っていた。寂しがったので種付け出産させたところから諸々狂いだし、増殖。ビニールハウスの廃屋を借りることになった。一時期は九頭に膨れ上がったが五頭で落ち着いた。

移転当初は順調だった。廃屋の中はみっしりと大人の丈を超す雑草や雑木が茂りまくり、奥までどれくらいあるのかわからないほどだった。食べても減らないお菓子の家に住まわせるようなものだ。

鉄枠に貼られていたビニールはすべて破れていたので、ヤギを放し飼いにするには側面を囲わねばならなかったが、このハウスを管理する大家さんの納屋にはロールの金網がゴロゴロ転がっていた。

ハウスの中の雑草を食べ尽くし、しかも糞で土壌改良できるならと、気前よく金網が提供された。側面の鉄骨にとりつけ、ヤギが放たれた。君たちは今日から本格的な除草ヤギだ。頼んだよ。しっかり食べて中山間地域の持続可能で地球に優しい生きざまを見せつけてやりなさい。みんなが嫌がる雑草を食べて生きていけるなんて、最高じゃないか。

ほどなくしてハウスのなかの草は奥まで見通せるくらいに減った。さすがである。ところがそのうちにヤギが金網を破って脱走を図るようになった。

ヤギには草の好き嫌いがあり、食べたくない草だけがハウス内に生え残ったのだ。金網に身体を根気強く擦り付けて穴をあけたのは、一番弱い立場のヤギ、玉太郎だ。生まれつき角がないので喧嘩も負け気味で、美味しい餌になかなかありつけない。囲いの外には美味しそうな御馳走がたくさん見えるのだから、他のみんなに黙ってこっそり出ていきたくもなるだろう。ひとりで抜けがけして摘まみ食いしては、そそくさと戻ってきていたので発見が遅れた。とても頭の良い野心家のヤギである。

すこし足を延ばせば雑草だけでなくオリーブ畑もある。ヤギの大好物だ。あれにリーチしたら駆除対象になっている鹿となんら変わらない。雑草を食べさせ除草に使えるヤギだが、管理をちょっと間違えたら害獣と化す。悪夢だ。

結局コンクリート基礎に使うワイヤーメッシュという直径三ミリの鉄鋼棒を溶接した金網で側面を囲うことにした。猪や鹿の獣害対策の柵にも使われている。金網よりも重いし高額だ。それでも今から引っ越しするよりは全然楽だと自分に言い聞かせて一人でせっせと施工した。

そのうちハウスの中はヤギにとっての毒草である蕨《わらび》だけが生き残り、ぐんぐんと勢いを増して来た。競争相手となる草たちは生えるそばからヤギが摘まんでしまうので、蕨ばかりが繁っていく皮肉。

ヤギ舎の前に広がる草地に繋留して雑草を食べさせるという手もあるが、五頭それぞれの綱が絡まないよう、位置を決めて繋留するのは容易ではない。

美味しい雑草は食べたいけれど、長時間繋がれるのは大嫌い。昼でも猪が山から降りて来るかもしれないし、虫にさされても自由に走ることもできない。暑くても日陰で休むことすらできないなんて、無理無理無理!! と、全頭一致で繋留を嫌がる。なだめすかして引きずって、ここという場所に杭を打ち、隙あらば屋根付き寝床つきのヤギハウスに駆け戻ろうとするヤギたちをなんとか繋留する。これを五頭繰り返す。それでも一か所の繋留で留まっていられる時間は四時間もない。二時間で場所を変えるのが理想。

その手間と時間を考えたら、どう考えても私が草をごそっと刈りとってハウスに運んでくるほうが、楽なのだ。好む草を集め喜ばせることも簡単だ。

気が付くと美味しい旬の草をふんだんに食べたヤギたちは一回りも二回りも成長し、成長が止まったヤギは肥え太っていた。もっともっとと欲しがる。私は毎日軽トラの荷台に山盛りになるくらい草を刈ってヤギに与えるようになっていた。

どこでどう間違えたのだろう。私ひとりで毎日ヤギ五頭分働き、除草していることになる。手鋸や鎌はもとより刈払い機やチェーンソーまで駆使するようになっていた。

それでも良い。身体は丈夫になったし、力もついた。軽トラの荷台は草だらけだし、周囲の人たちからは作業着を着て草を刈ってばかりの変な移住者と思われているけれど、いいのだ。ヤギたちが可愛いのだから。それにバリバリと耕作放棄地の藪を切り拓いているのは快感でもある。植物にも詳しくなった。

問題は冬だ。常緑広葉樹を山から伐ったり果樹の剪定枝を貰うものの、どうしても五頭分の餌の安定供給が難しい。輸入干し草をメインにあげるしかないのか。

試行錯誤と逡巡の末に出した結論は、えん麦を植えることだった。

蕨が生い茂るヤギ舎の奥を二アールほど、ユンボと耕運機で掘り起こしてもらい、ちぎれた根を取り除き、杭を打ちワイヤーメッシュで囲い種を撒いた。除草させようとヤギを飼って七年目。巡り巡ってまさか草を畑作するとは。どう考えてもおかしい。わかっちゃいるけど、止められない。
秋の深まりとともにえん麦畑は順調に青い葉を繁らせ、冬に備えている。

うちざわ・じゅんこ（ルポライター・イラストレーター）「文學界」1月号

走る棋士

杉本昌隆

今年は雪が降る日が多かった気がする。粉雪、積雪……見る分には風流だが、仕事への影響が心配な時もある。

「道路の凍結は大丈夫か？」

「電車のダイヤが乱れると仕事に遅れてしまうな」

どんな日であれ、社会人として遅刻は厳禁。時間に追われる朝は皆戦争である。

さて、私たち棋士の対局でも遅刻は時々発生する。

「〇〇先生、一分の遅刻です」

こう記録係に告げられ、ペナルティとして自分の持ち時間を減らされるのだ。

持ち時間一時間までの棋戦は遅刻時間をそのまま（等倍引き）、長時間の棋戦は三倍を引かれる。この場合、十分の遅刻でも初手から三十分の消費になるわけで、やはり遅刻はいけない。

朝寝坊は自業自得。交通機関の遅れは不可抗力だが遅刻扱いは変わらない。ただ、その場合は駅で延着証明書を受け取れば等倍引きで済み、三倍引きは逃れられる。

相手の遅刻は自分の利。だが気合が入っているときそれを拒否したい気分にもなる。私も二十代の頃、こんなことがあった。

遅刻により、相手の持ち時間が約十五分減らされたその対局、私は何を血迷ったかこう考えた。

（そんなハンデ、いらん！）

私は自分の初手と三手目に相手の遅刻分だけ無意味に時間を使う。今思えば若かったなあ。

これで勝てばなかなかの漢だが何せ長考派の私。その無駄な時間の消費も響いて終盤のミスで負け。馬鹿である……。

大幅な遅刻は時間切れの「不戦敗」の危機。なので対局場に向かう棋士は走る。間に合うことを信じて走り続ける。その一方、対局室で待っている棋士の心情も揺れ動く。

（ちょっと遅れているだけだろう）

（彼は必ず来るはず）

対局とは二人で作り上げる芸術である。不戦勝を願うなどもっての外。心を無にして盤の前にただ一人、ジッと相手を待つのだ。見方によっては「走れメロス」のように美しい……。

え？　登場人物に人の心が分からぬ王がいない？　待つ側の棋士はその役も兼ねている。時間が経つにつれこうなるのだ。

（できれば来ないでほしいな）

（奴は来ない、なに間に合うわけ無いさ）

だってもう少しで勝ちですよ。段々とさもしくなる自分の心根が嫌だが、これも勝負師の性。少なくとも修業時代の私はこうだった。

残り三十分、二十分、十分……勝利は目前。弛緩した空気が漂う。

（ラッキーだな、今日はこのあと何をしよう）

そこに突然、玄関前のドタドタという音。そして息を切らせながら現れる対局相手が……そう間に合ったのだ。周りの棋士も初めこそ冷ややかだが（負けにならなくて良かったね）の雰囲気。これにて一件落着……。

いやいや、待たされた棋士は気持ちの切り替えが大変なのである。

私は公式戦の遅刻そのものはおそらくないが、ギリギリの入室は何度もある。関係者をヤキモキさせたことも多いはずだ。

読者の皆さんも遅刻にはお気をつけて。

すぎもと・まさたか（将棋棋士）「週刊文春」3月10日号

おかしかねえ　おかしかねえ

大道珠貴

ちょっとおかしくなってきた母が、ちょっとどころではなくなっているようなので、急遽、福岡に帰ってみた。着いたよと空港から電話を入れたら、

「あらあ、今日やったっけ」案の定だ。

玄関のドアを開けると母はニヤッと愛想笑いのようなことをし、それから、まじまじと不思議そうに娘の顔を見つめた。母娘《おやこ》して、目を合わせることは滅多にないので、お互い緊張が走る。「おたくはどちらさまですか」とでも母が言うとかいな、と思ったら「そんなにシミがあったっけ」娘の容姿の変化に抜け目ない。女を捨てたらいかんよ、と、むかしからよく余計な心配をしてくれていた母だった。

「五十歳過ぎてから、生理、終わったろ？　だから女性ホルモンが少なくなったっちゃないかいな？」母は、のべつ幕なしに話しかけてくる。酒が入るといよいよ調子に乗った。

「現代《いま》の人は大きかねえ。あたしがほんとうに産んだとかいな？　こんなに大きな子どもをねえ…」

独居老人の部屋は独特だ。何年かぶりの母のすっぱいようなにおい。酢というより、レモンみたいな体臭である。白だらけのさっぱりした部屋。どうせもうすぐ死ぬっちゃけん、物は増やしたくない、と簡素で安価な調度品。つまようじや毛糸やあまったヒモや包装紙などで作った、よくわからない動物やら、和傘やらが、棚の上にうじゃうじゃある。年中出しっぱなしの炬燵《こたつ》、その台の上に乗り切らないほどの食べ物――刺身盛り、あごだしの唐揚げ、鳥肝の甘辛煮、豚足、そして酒多種――冷蔵庫の中にだって娘の好物だらけに決まっている。

銀杏《いちょう》の葉がチョウチョみたいに舞ってきれいやったよ、夕暮れの散歩とでもいきましょか、と誘ってみたら、母は、腰が痛い、脚が痛い、胸が痛い、と眉間に皺を寄せて言い訳をしながら、自分の痩せさらばえた身体をさすりまわす。生きるのに飽きた顔つきやなあ、それでもこの人は生きるんだよなあ、この人が自分から死にたいって言ったことないもんなあ、だんなにどんだけイジワルされてもくじけんかったし、と私は思う。病院からは、認知症ではない、と聞かされている。むしろアタマははっきりしているそうなのだった。

とぼけている、ふざけている、細かいことを気にしない（お金のこと以外）、それが私の母だ。むかしから、素《す》っ頓狂《とんきょう》なことをして、周りを呆《あき》れさせ、本人はいたっておかしいと思っていない。かといって自分がまともだとも思っていない。

母とひとつの部屋でこうして過ごしていると、一時間そこそこで私も慣れてしまった。ストッキングを脱いで、化粧も落とし、ぐうたらになって、あまえている。これじゃあただの帰省であり、鎌倉に家と仕事を置いて、福岡にふらっと遊びにきたようなものだ。母を家政婦さんのようにこき使っても平気である。母から生まれた私もその素質を受け継いで、根本はしっかりおかしな人間なのだろう。そう思うと気が楽になってきた。いつの間にか二人とも炬燵で眠っている。お互い、足を縮めてまるくなって。母に蹴られたら蹴り返し、フフッと鼻で笑って。

夜中、早朝と、母は、野良犬のようにウロウロと、なにかを探し回る。

「おかしかねえ、おかしかねえ」と呟《つぶや》いて。探し物がなんなのか、私は訊かない。助けない。理不尽で、不条理の中に、みんな生きているのだ。死は平等に訪れるのだ。人生は、面白くて、不思議。なによりも、物事を肯定的に捉えると人生は楽しく済むものなのだ。

母の日にカーネーションをプレゼントすると、花とか好かん、食べられん、と娘の心をざっくり傷つけたあの母も、老いたいまは、摘《つ》んできた四葉のクローバーを喜ぶ（私は、あそこの草むらに生えているぞ、とピンとくる）。ああ、世の中、生きとし生ける物、すべてがおかしいのだ。

あなたのおかしな娘は、おかしなあなたのもとにやっと還ってきたよ。

だいどう・たまき（作家）「西日本新聞」六月十九日

オンラインの日常で

奥泉　光

コロナ禍に見舞われた世界ではオンラインが日常化しつつあるが、日頃家にこもってものを書く小説家には関係ないかといえば、そうでもなくて、たとえば文学賞の選考会にオンラインが導入されるということがある。すべてがそうなったわけではないが、少なくとも選考会後の会食はなくなった。家で飯が食えぬわけでもなし、大した問題ではないといわれるかもしれぬが、いや、実際、休業や廃業を余儀なくされた飲食店に較《くら》べたら、ただの贅沢《ぜいたく》でしかないだろう。たしかに選考をするだけならオンラインですむ。しかしだ。失われたものがあるのは事実であり、それはたとえば「雑談」なのだが、これが小説にとっては侮り難い意味がある。

小説はそれ自体は文字の集積にすぎないものである。それら「死んだ」文字は読まれることではじめて小説たりうる。小説は読まれることによって生命を与えられる。読まれるばかりではない。さらに進んで、語られることが小説を豊かにする。その語りが再び文字化されたものが批評文であるが、世に古典と呼ばれる作品は、時代を超えて語られることで古典となった。小説は読まれ、語られなければ生きられない。

で、文学賞であるが、候補作品は選考会の場で当然語られるが、それは会食でもつづく場合が多い。小説家はだいたいが小説が好きな人たちなので、議論が蒸し返されるわけだ。選考を離れた「雑談」であればこそ口に上る言葉もあって――いや、こちらの方が、選考の義務から解放されたぶん、のびのび愉《たの》しく言葉が交わされるので、小説が語られる本来の形だともいいうるだろう。「雑談」は主題があるのではないから、さまざまな言葉が多様に結びつく可能性を持ち、思いもよらぬ文脈のなかに作品が据えられる場合もある。そこで交わされた言葉は、その場限りで消えていくようで、立ち現れた言葉を誰かが誰かに伝え広がる可能性を持つ。こうした言葉の交換は、読者をも繋《つな》ぐ言葉の広汎《こうはん》なネットワークを形成し、その土壌に文学の植物は花や果実をつける。

しかし他方、自分がオンラインに慣れつつあるのも事実である。「雑談」なしに、用件だけＺｏｏｍで済ませて不足なし、という感覚が生まれつつあるのもたしかだ。効率的といえば効率的だが、そこで失われるものはまちがいなくある。自分が学生だった一九八〇年頃、ウォークマンというものが売り出されて、はじめてヘッドホンをしている人を電車で見たとき、自分は驚いた。この人は、おなじ電車に乗り合わせるという「袖振り合う」関係を一切遮断している。それでいいのか?と違和感を覚えたのだ。もちろんそれまでだってイヤホンでラジオを聴く人はいた。が、かれは少なくとも片耳は電車の空間に向けていたので、コミュニケーションの回路を完全には遮断していなかった。つまりいつなんどき開かれるかもわからぬ言葉のコミュニケーションの可能性、それを断ち切っている姿に自分は衝撃を受けたのだった。が、それから一年もしないうちに自分もウォークマンで音楽を聴いていたので、最初の衝撃のなかで、何かが失われたと思ったその何かは、急速に忘れられていった。

オンラインの日常が失わせるものはまちがいなくあると、いまここではっきり銘記しておきたい。が、ドストエフスキーがいうがごとく、何事にも慣れる動物である人間には、それも虚《むな》しいのか。

おくいずみ・ひかる(小説家) 「東京新聞」四月八日・夕刊

白紙の手帳

藤沢　周

「凜々《りんりん》たる孤風、自ら誇らず」

なるほど。禅宗の語録から抜き出された言葉は、肚《はら》が据わっていて、思わず背筋が伸びる。あるいは、誰もがおなじみの「平常心是道」。いずれも心と丹田を鍛え上げた末の禅語は、高く悟って俗世間に生きる者の至言と拝察致す。

致すのだが、これ、数年前のわが手帳の年頭に記されていたものなのだ。何を思って、かような畏れ多い言葉を書き写し、年初に気合を入れていたのか。大真面目な顔をして筆圧高く書いたかと思うと、われながら片腹痛く、汗顔の至り。どこが「孤風」か、「平常心」か、と鏡の中を指さし、腹を抱えて自らを笑うありさまである。正月早々の「笑う門には」でちょうどいいか、などと思いながらも、ふと現《うつつ》のわれに返り、忸怩《じくじ》たる思いになって気鬱《きうつ》にもなる。

毎年毎年、前年にはどんなに気張っていたか、とくたびれた手帳を繰っては自嘲と苦笑の面持ちになり、それでも「よし、今年こそは！」と新年の抱負などを記していた。

だが、ここ数年ほど、何も書いていないのである。原稿執筆による多忙ゆえか、と思うもそれと無縁なのは自分が一番よく知っている。暇ゆえ旅にでも出て、恥とともに抱負もかき捨ててしまったか。いやいや、新型コロナの蔓延《まんえん》で帰省もできぬ自粛の日々だったはず。

ならば、内省の年頭を過ごしていたわけだから、よけいに「凜々たる孤風」を気取って、一言二言、分不相応な箴言《しんげん》めいた言葉を書き込んでいても良いはずだ。だが、全くの白紙で、次ページに「賀状追加」だの、「要腹筋」だのと、訳の分からぬさまつな事柄がちゃらちゃらメモってあるだけなのだ。要するに、面倒になった。書いても無駄だという己を、重々知ってしまったのである。もはや初老の域となった自分が何も鼻息まで荒くして、抱負などあえて書かなくても良かろうと。

ただ、書かないがゆえに、思い続けるということもある。心の底で静かに自分を動かすものを感じ、時にその面が波立ったり凪《な》いだりして、言葉以前の無意識の景色をのぞくことがある。もう、それで十分ではないか。言葉でベクトルを持たせて心を硬直させるよりも、黙して任せるくらいの方が豊かではないかと思うようになったのだ。

抱負、目標、あれもこれも、もっともっと。若い頃ならありだろうし、大事なことなのかも知れぬが、今は少なめ少なめと絞っていく、削っていく年代に入ってきたのかとも思う。そして、何かやろうとする時には、「無心の位にて、我《わ》が心をわれにも隠す」(世阿弥)くらいの思いが肝要か。

「今年は！」の力こぶを、自らにも秘して淡々と。それすらも忘れることができたら、「孤風」以上の悟達であろうが、道の遠いこと遠いこと。うろうろと白紙のページをさまようばかりである。


ふじさわ・しゅう(作家)　「新潟日報」一月五日

母校へ、ただいま！

林　真理子

私が日大理事長になった時、テツオさんが言った。

「日大芸術学部とマガジンハウスで何かしようよ」

芸術学部は私が卒業したところである。

当時、ここはすごい人気だった。特に放送学科などは六十倍という倍率だったと記憶している。

「日芸のファッション」

ということでよくマスコミが来た。

芸能人もいっぱいいた。

今も「ニチゲイ」は、有名人を多数輩出することで知られている。

「きっといろいろ面白いことが出来るよ」

ということで、今日はテツオさんたちと江古田の芸術学部へ。

アンアンの編集長・キタワキさん、私の担当者・シタラちゃんなど、総勢五人が来てくれた。本当にありがとうございます。

まず日大学部長や、事務局長といろいろなことを話し合った。いろいろなアイデアが出てくる。

私はお願いした。

「雑誌の編集部というのは、ゲラが上がってくる、写真が仕上がる、みんなであれこれミーティングする、いるだけでワクワクするところなんです。ここの学生が、アルバイト出来たら、とても勉強になると思うんですよ」

それから見学へ。

ここ日大の芸術学部は、プロも驚くテレビやラジオのスタジオ、副調整室を完備している。その立派さは、地方局の人が、

「うちの倍ある」

とびっくりするぐらい。

私も驚いた。広いスタジオに立ち、

「これってNHKの『あさイチ』ぐらいあるかも」

テレビカメラもすべてプロと同じものを使っているのだ。

放送学科の後は、私が卒業した文芸学科へ。エレベーターを出たら、たくさんの学生さんが待ち構えていた。しゃぼん玉やバルーンが飛ぶ。

「お帰りなさい、マリコ先輩」

「アイ・ラブ・マリコ」

と書いたウチワがふられる。

じわーんと涙がこぼれそうになった。

「お帰りなさい」

なんていい言葉なんだろうか。昔のことが甦る。私は少しも勉強しない学生だった。ただ、部活動のテニスに夢中だった。このテニス部は軟弱なところで、みんなが恋をしに来ていたみたい。二十六人中、七組がカップルだった。あぶれた私って、何なの？という感じだ。

自慢じゃないが本当にモテなかった。二年生の時、勝手に「カレシ」と思っていた人を一年生の女の子にとられてしまった。コンパの帰り、すべてがわかり、わっと泣いてしまったっけ。今となれば、それもいい思い出である。大人になってからの恋のつらさに比べれば、お子ちゃまの恋なんてどうということもない。

学生さんたちの質問を受けた。その中に、

「ハヤシさん、二十歳の日大生の自分に、どんな言葉をかけたいですか」

というのがあった。私は即座に答えた。

「あなたは、あなたが考えているよりもずっとすごいよ」

おおーとどよめきが起こる。でもこれは本当のことだ。

私の言葉は意外にも、マガジンハウスの編集者にもきいたようだ。

「ハヤシさん、私もそう思って生きていきます」

というＬＩＮＥをもらった。

さて、見学を終えた私たちは学食へ。

「ここに来るのは何十年ぶりかなー」

みんなとても楽しそう。並んでトレイを持って料理をもらった。今日のランチは、ラーメンと半カレーである。ラーメンはとてもおいしかった。

キャンパスはやっぱり楽しいなあ、若い学生がいるだけでわくわくしてくる。このトシになって学食で食べる生活があるなんて思ってもみなかった。

この日の私のファッションは、マルニの白シャツに、黒のタイトスカート、モンクレールの白スニーカーという、かなりの若づくり。

「理事長のファッションの好みは？」

という質問もあったっけ。

そうそう、このあいだこんなアドバイスも受けた。

「ハヤシさん、キレイでおしゃれな理事長でないと女子大生は憧れませんよ」

私はかなりお洋服にお金を遣っているのであるが、なにせオバさん体型なのは否めない。おしゃれ、というのとは違ってきてしまう。

しかし憧れられるのは無理としても、好かれる理事長にはなりたいものである。

食堂では女子大生たちに声をかけられる。

「一緒に写真撮ってもいいですかー」

もちろんですよ。

若いっていいな。大学生っていいよなー。でもみんなそのことに気づかない。わかるのはオジさん、オバさんになってから。学生の時は目の前の悩みに立ち向かうのが精いっぱい。私もそうだった。

はやし・まりこ（作家）　「anan」8月17日-8月24日合併号

嘘でもいいから

堀江敏幸

この二年ほどの空白と十一年前の空白を二重露出のように重ねてしまうことがある。天災と人災が連鎖したあと、それが理論的に、また状況的に最良の選択かどうかを確認するより先に、人々は倫理的な判断を優先させて街の灯を落とした。いずれ大もとの供給源が絶たれるか重度の供給不足が生じるという漠然とした不安もあってのことだろう。

日中も煌々と照らしつづけていた看板照明や、影ができないくらいの空間を演出していた蛍光灯も、一列おき、あるいは二列おきに間引かれて、有事の次の有事に備えていた。見えない粒子の飛散には対処できなくても、目に見えるものにならず手をつけられる。それはまことに自然な反応で、照明を落としたその状態のほうがずっと正常であるように思われたのだが、そういう気持ちをみながいつまで維持できるのかまではわからなかった。

明るさが活動のしるしで、暗ければ閉じているという了解はたしかにある。事故のあと、街に本来の暗さが戻りかけていた時期には、何年かを過ごした異郷の、節度ある照明に抱いた安堵の念も遅ればせに重なって、非常時が非常時とは感じられず、じつはこのままの状態がつづいてほしいとひそかに願っていた。ただし、非常時という言い方じたいには矛盾もある。負の位相に入ったと認識できるとしたら、それまでを正としていたことの証左にもなるからだ。

それでも、暗さへの、もしくは過度にならない明るさへの親和は、自分のなかにぶれない軸としてある。明暗はもちろん譬えであって、十一年前、人々に問われていたのは、平時の暮らしに戻りたい、原状復帰したいと口にするときの、平時の内実を見つめ直すことだったのではないか。ごくかぎられた範囲内でのことではあれ、もう世界は元に戻れないと語っていた人々が既成事実と慣れを盾にして、なにごともなかったかのように時計の針を事象以前の時間に合わせる場面に幾度も出くわしたせいか、やはり私が望んだ暗さの復権はなされなかったのではないかと感じはじめている。

自由に人と会うことのできない状況がつづくなか、やむをえない仕事以外はとくに他人との接触がなくても気にならない私のような者でも、ただ話がしたい、顔を見て、生の声を聞いて、いまやすべてを代弁する器官となった両の目を見ながら言葉をかわしたいと思うようになった。しかし明と暗をめぐる世の揺り戻しが、自分にとって人に会うことがどんな意味を持っていたのか、根本的な問い直しを迫る。会わずに済む口実が得られて胸をなで下ろした相手がいないかどうか。いたとしたらそう感じた理由はなにか。あるいはまた、会いたくないどころか会う必要がないと感じられる人がいるとしたら、自分がその人に対してなにをどう耐えていたのか検証してみるべきではないか。

このところ、ただ人に会いたいという純粋な気持ちを濁らせる方向に思考が流されていく。顔の三分の二を隠し、くぐもりのある声で言葉を交わしあう以前には気づかなかったことにようやく気づいた、と言いたいのではない。うすうす気づいていたことを、あたかも気づいていなかったかのように原状に戻す必要があるのかどうか、人恋しさが満たされたあとに襲われる全身の屈託を容易に予想できるのに、なぜあえて元に戻そうとするのかを、あらためて考え直すということだ。度の過ぎた明るさを平常値と見做して、その回復を目指すことに意味はない。

十代の頃、日曜日の夜にテレビで映画の解説をしていた人の『私はまだかつて嫌いな人に逢ったことがない』という本を手に取って、意味深長だが、宗教家も顔負けの大変な宣言だと感じ入ったことがある。わけへだてなく人と会い、自分に好意を寄せていなかった人もその魅力で籠絡してしまうのか、最初から好きな人を選別しているだけなのか、もしくは自分のところには好意を持ってくれている人しか近づいて来ないと信じているのか。事実を告げる過去形とこれからなすべき未来の判断がよじれあったこの箴言に影響を受けたわけではないのだが、会いたい人を選ぶなどという発想とはまったく無縁で生きてきた自分がこんなことを考えているのは、未知のウイルスのせいでも、負の原状復帰を素知らぬ顔で提示する狭い世間のせいでもなく、たんに私が人として堕落したからにすぎないのだろう。あらたな災厄に、あらたな混乱に見舞われる前に、「私はまだかつて嫌いな人に逢ったことがない」と、嘘でもいいから言える強さを身につけておきたい。

ほりえ・としゆき（作家）　「Ｗｅｂ新小説」4月22日号

三浦しをん

オヤジギャグの道理

近所の店で夕飯を食べていたら、四人連れのおじさんグループの会話が耳に入ってきた。どうやら還暦祝いで集まったらしく、一緒に行った旅の思い出などを語りあいながら、楽しそうに飲み食いしている。

そこへ、遅れてもう一人のおじさんが到着した。仲間のおじさんたちは、

「おー、待ってたよ。テーブルくっつけよう」

と、隣にある二人用のテーブルを引き寄せはじめる。しかしあとから来たおじさんは、

「いいんだ、いいんだ、ぴったりくっつけなくて」

と言って、一人だけちょっと離れた形で椅子に腰を下ろした。

コロナ対策だろうか？　と私は思った。そのときはコロナもやや鎮まっていたタイミングで、飲食店での人数制限などはなにもなかったのだが、あとから来たおじさんは慎重に振る舞おうとしているのかもしれない。仲間のおじさんたちも、

「なんで？　さびしいじゃねえか」

と怪訝そうだった。すると、あとから来たおじさんが、テーブルをくっつけない理由を述べた。

「ほら、おしっこにちょくちょく行かなきゃなんねえから、通路あいてたほうがいいだろ。しっこう猶予だ」

「うまいこと言うねえ」

「道理だ、道理だ」

感心し、納得する仲間のおじさんたち（還暦）。五人のグループとなったおじさんたちは、その後も仲良く（隙間をあけた二台のテーブルで）おしゃべりに花を咲かせ、飲み食いをつづけたのだった。

しっこう猶予……。おじさん、まじでうまいこと言う。不覚にも噴きだしてしまったし、還暦にはまだ間があるとはいえ、私も最近頻尿になってきた身なので、「道理だ、道理だ」と一人うなずくほかなかった。そして本物のオヤジギャグのきらめきに、静か

にシャッポを脱いだ。

ひとはなぜオヤジギャグを言ってしまうのか。これについて私は三十歳ぐらいから考えてきた。むろん、そのころから自分がオヤジギャグを口にしてしまうようになったためで(早い)、結論も自身のなかですでに出ている。人類が加齢とともに性別問わずオヤジギャグを言いがちになる原因。それは主に、以下のふたつだ。
一、年齢が上がるにつれ、蓄積される語彙が増える。そのため、同音異義語をつぎつぎに思い浮かべやすくなる(「執行」と「しっこ」など)。
二、年齢が上がるにつれ、喉の筋力が弱まる。そのため、若者ならば同音異義語を連想したとしても、「これを言ったら引かれるだろうな」と思いとどまれるのだが、中年以降になるとぐっと飲み下すことができず、そのまま迸らせてしまう。
つらい……、つらすぎる原因だ……。シモの筋力が衰え頻尿になっているうえに、喉の筋力も衰えてしばしば飲食物にむせる。さらには、オヤジギャグも我慢できずに言ってしまう。こりゃもう救いようがない。今後は私も開きなおって、「フォーメーションしっこう猶予!」と宣言し、テーブルをくっつけない形で友人たちとご飯を食べようと思う。

しかしそれにしても、「しっこう猶予」のおじさんは冴えわたっているし、「道理だ、道理だ」と悠然と受け入れる仲間のおじさんたちも大人《たいじん》の風格がある。中途半端な若僧だと、「おまえ、なに言ってんだよ！」などとツッコんでしまいそうなところ、おじさんたちは特にウケるでもしらけるでもなく「道理だ、道理だ」。

澄んだ水のような、あるいは空気のような、限りなく透明に近いブルーならぬオヤジギャグ（え、もしやこれもオヤジギャグの一種!?　あわわ）。この境地に早くたどりつきたいものだが、それには大切な要素があると還暦祝いのおじさんたちを見ていて気づいた。

おじさんたちは本当に仲良しだったのだ。会話から推測するに、釣りが共通の趣味らしく、「あそこの釣り場はよかったね」などと夢中で話しあう。マウント合戦や仕事の話は皆無で、いい釣り場にたまたま同行できなかった仲間には、「今度一緒に行こうな。おいしい居酒屋さんもあったから」「うんうん、楽しみだねえ」といった調子だ。風通しがよく、損得の概念が発生しようのない、長年の気の置けない友人同士なのだと察せられた。

それゆえ、あとから来たおじさんも、「登場シーンで一発ウケを狙おう」といった下心はまるでなく、思いついたオヤジギャグをただ言ってみることができたのだし、仲間のおじさんたちも身がまえることなく受け止めたのだろう。挨拶がわりに軽く尻を嗅ぎあってじゃれる犬のようなものだ。……いや、これだとたとえが悪いかもしれない。肩ならしの投球練習をするピッチャーと、ミットで難なく球を受け止め、「今日もいい音出てるよー」と笑顔を見せるキャッチャー。……また野球でたとえるという昭和感を漂わせてしまった。

とにかく、おじさんたちにとってオヤジギャグは、ウケとか引かれるかもとかを云々するものではなく、もはや挨拶や投球練習に等しい日常に組みこまれたルーティーンであり、それを通して互いの体調や気分を推し量る体温計みたいなものなんだなと思った。そしてその体温計を動かす電池は、お互いへの信頼と友情なのだ。肩の力を抜いて接することができる相手だからこそ、限りなく透明に近いオヤジギャグはのびのびと放たれ、悠然と受け止められて、きらめきを放つ。

私もおじさんたちを見習って、還暦になっても友だちとアホなこと言いあえるよう、風通しのいい間柄を保ち、いまから肩をほぐしておこうと思ったのだった。

みうら・しをん(作家)　「BAILA」6月号

西村賢太さんを悼む

町田　康

知らせを聞いて暫《しばら》くの間、物が言えなかった。それほどに衝撃が大きかった。西村賢太という作家が此《こ》の世にいて書いていることは私の心の支えだった。『どうで死ぬ身の一踊り』が出たとき周囲はざわつき、会う人会う人がみな「読んだか」「うん読んだ」と言い合っていた。私もその一人だった。だが、その時はまだ西村賢太氏がこれほどの作家になるとは誰も予想していなかった。

なぜならその内容があまりにも告白的であったからである。私もそうで、このような告白的な内容のものは書くにつれ、また作者の環境が変化するにつれ、次第に中味が薄まって段々苦しくなってくるのではないか、と予想していた。

ところがそんなことはまったくなかった。その後も次々と作品を発表し、その濃度が薄まることなどまるでなく、あべこべに作品は迫力と奥行きを増していき、その結果、野間文芸新人賞を受け、その後、『苦役列車』で芥川賞を受けた後は、多くの読者を得て、不動の人気作家となった。

といって西村賢太氏の書く世界は、作者独自の、西村賢太にしか書けない世界で、所謂《いわゆる》、「一般受け」をするようなものではなく、これは他の誰にもなし得ないことであると思われる。

しかもその世界は、人間の卑小な部分、醜悪な部分、身勝手な部分などをこれでもかというくらいに突き詰めて描いた凄絶《せいぜつ》な世界で、多くの人が好む美しかったり痛快だったりする物語はまったくない。

多くの作者は、仮にかなりえげつない話を書いたとしても、少しはそういうものを入れておかないと読者に背かれるという心配・不安に抗しきれず、或《あ》るいはまた自身の心の弱さから、そうした要素をどうしても入れてしまう。しかるに西村賢太氏の作品にはそんなものは美事《みごと》に一行もない。にもかかわらず西村賢太の小説が多くの読者を惹《ひ》きつけて止《や》まないのはなぜか。それは極端な言動で破滅していく人の姿を見物するのがおもしろいから、では絶対にない。もしそうなら右に言うようにそんなものは、ただの見世物小屋で読む方も書く方も一度で充分だからである。

ではなぜか。それは私自身がそうであるが、その作品の中に己を見るからである。そこに共感する部分はあまりない、人によっては、まったくない、というかも知れない。だが、それはどうしようもなく自分の一部である。共感しないけど自分の似姿である、という不安に悶《もだ》え、自分ではあるけど共感しない、似姿ではあるが現実の自分ではない、という部分に安心し、その不安と安心を激しく往《い》き来するうち、すっかり西村賢太の読者、西村賢太ファンとなってしまうのである。

もしそれが単に己を露悪的に描くだけのことだったら、誰にだってできることだったが、西村氏のそれは誰にでもできることではなく、彼ひとりができることだった。

それを支えたものにはいろんなものがあるだろうけれども、そのなかのひとつとして西村賢太氏が強く持っていた私小説家としての意識、もっと言うと矜恃《きょうじ》のようなものがあると思う。

人間には自己保存の本能があり、己について考えるときもこれが作用し、それを考えてしまったら自分が破滅してしまうという領域の手前には防壁のようなものがあり、そこから先に進めない。その防壁には、「愛」とか「友情」とか「蜂の頭」といったスローガンが書いてあることが多い。西村氏はその壁を越えて己を描き、つねに人間の真実をとらえていた。それこそが西村賢太の私小説家としての矜持であった。

そしてもうひとつ、それを可能にしたのは西村氏の他に類を見ない文章感覚である。調子のよさと引っかかり、緩急自在の文章は第一作の時点で既に確立され、磨かれていった。この文章の魔術によって仄《ほの》暗く湿った人間の姿が明るく照らし出され、ときに晴れ晴れしたものに映った。これは文章が起こす奇蹟《きせき》であった。

その早すぎる死が残念でならない。いまはただ冥福を祈る。


まちだ・こう(作家)　「朝日新聞」二月九日

はじまりの旅

角田光代

ビビりで心配性の私が、はじめてひとりで旅をしたのは1992年、25歳のときだ。いき先はタイからマレーシア、期間は1か月。その前の年に友人とタイを5週間かけてまわり、自由旅行に取り憑《つ》かれ、どこでもいいからどうしても旅をしたくて、でもいっしょにいってくれる友人がいないという理由で、ひとり旅となった。出入国にタイを選んだのは、前年の旅で少しばかりは勝手がわかっていたからだ。

バンコクからハートヤイへ、そこからスンガイ・コーロクにいき、歩いて国境を越えてコタ・バルへ、そこからバスでクアラルンプールへいき、クアラ・プルリスを経てランカウイ島にわたり、10日ほど滞在して船でタイのサトゥーンにいき、ハートヤイ経由でバンコクに戻る、という旅だ。

ランカウイ島で地元の男の子たちと仲よくなって、夜釣りにいったり島巡りツアーに連れていってもらったりした。彼らの遊びかたが、昼も夜も関係なく、時間に縛られていないのが印象的で、その日々は強烈に覚えているのだが、そのほかは記憶がひどく曖昧だ。

旅にいくたびノートを1冊持っていって、旅日記兼お小遣い帳をつけている。あまりに記憶がおぼろげなので、当時のノートを引っ張り出して読んでみた。何度も何度もお金の計算がしてあるのは、手持ちのお金が心許《こころもと》なかったからだが、我ながら気の毒になるくらいほとんどのページにそれがある。

驚いたのは、着いた翌日から見知らぬ人に酒をおごってもらい、夜行列車では向かいの席の若者たちがベッドづくりを手伝ってくれ、食べもの売りの人が何度もおなかはすいてないか訊《き》きにきてくれ、道を訊いたおじいさんがコタ・バルから長距離バス乗り場まで連れていってくれて、走り去るバスに向かってずっと手を振ってくれた……と、見たもの立ち寄った場所ではなく、人の描写が続くことだ。

さらに、バスの運転手は「気をつけて」と握手をしてくれ、島に着いた日には知らない人たちが巨大ホテルのレゲエバンドのショーを見せにいってくれ、夕食までおごってくれている。庭師の青年がビールをくれて、バスの向かいの席の女性がドーナツをくれる。なんだこれ、と読んでいてあっけにとられた。いったいどれだけの人に親切にされているんだ。25歳の私もびっくりしたのか、「まるで母をたずねて三千里だ」と書いている。私はもう立派な大人だったのに、はじめてのひとり旅でよほど不安そうだったのか、ひもじそうだったのか、その地に暮らすなんと多くの人たちが、手をさしのべてくれたことだろう。

旅の終わりに ノートに書いた言葉

サトゥーンの港から町までバイクタクシーに乗ったのだが、このバイクの運転手のことはよく覚えている。ハートヤイいきのバス乗り場に着くと、バスのチケットと飲みものを買って渡してくれ、バス乗り場のベンチで一緒に座ってバスを待ってくれた。暑いし、ひとりで待つからもういってくださいと身振りでいってもしずかに首を振って笑う。ジュースを買ってきて渡そうとしても、いらないと首を振る。小一時間も待っただろうか、ようやくやってきたバスに私を乗せて、手を振ってバイクで去っていった。じりじりした日射《ざ》し、日なたと日陰のコントラスト、むせかえるような木々の緑、こんなふうに、まったく見返りもなく他人に時間を差し出せる人がいることへの驚きと戸惑い、すべてありありと覚えている。こういう人になりたいと本気で思ったからだ。この優雅さを身につけたいと思ったからだ。

その後の私のひとり旅は、このはじめての旅が基礎になっている。旅は自分の足で進むものだけれど、同時に、見知らぬ無数の人たちのてのひらがそっと運んでくれるものでもあると、こころの深いところで知ったから、こんなビビりでも、その後も旅を続けることができている。

お茶屋のおじいさん、ナイトマーケットの若者たち、列車のカップル、白髪のおじいさん、大学生の女の子、――訪れた名所名跡や印象深い光景ではなく、名前も知らない人たちをえんえんと挙げ、もう一度会いたい、会ってさようならを言いたい、でももうきっと二度と会えないと、25歳の私は旅の終わりにノートに書いた。旅でしか得ることのできない一期一会のせつなさも、私はこのとき知ったのだ。人生が果てしなく旅に似ていると気づくのは、もっとずっと年齢を重ねてからのことだ。

かくた・みつよ（作家）　「旅行読売」12月号

ベスト・エッセイ2023

2023年6月26日　第1刷発行

編　著	日本文藝家協会
発行者	吉田 直樹
発行所	光村図書出版株式会社 東京都品川区上大崎2-19-9 電話 03-3493-2111（代）
印刷所	株式会社加藤文明社
製本所	株式会社難波製本

ISBN978-4-8138-0438-3　C0095
定価はカバーに表示してあります。

今日では不適切と思われる表現については、
作者の意向を尊重いたしました。

ベスト・エッセイ 2022

THE BEST ESSAY 2022

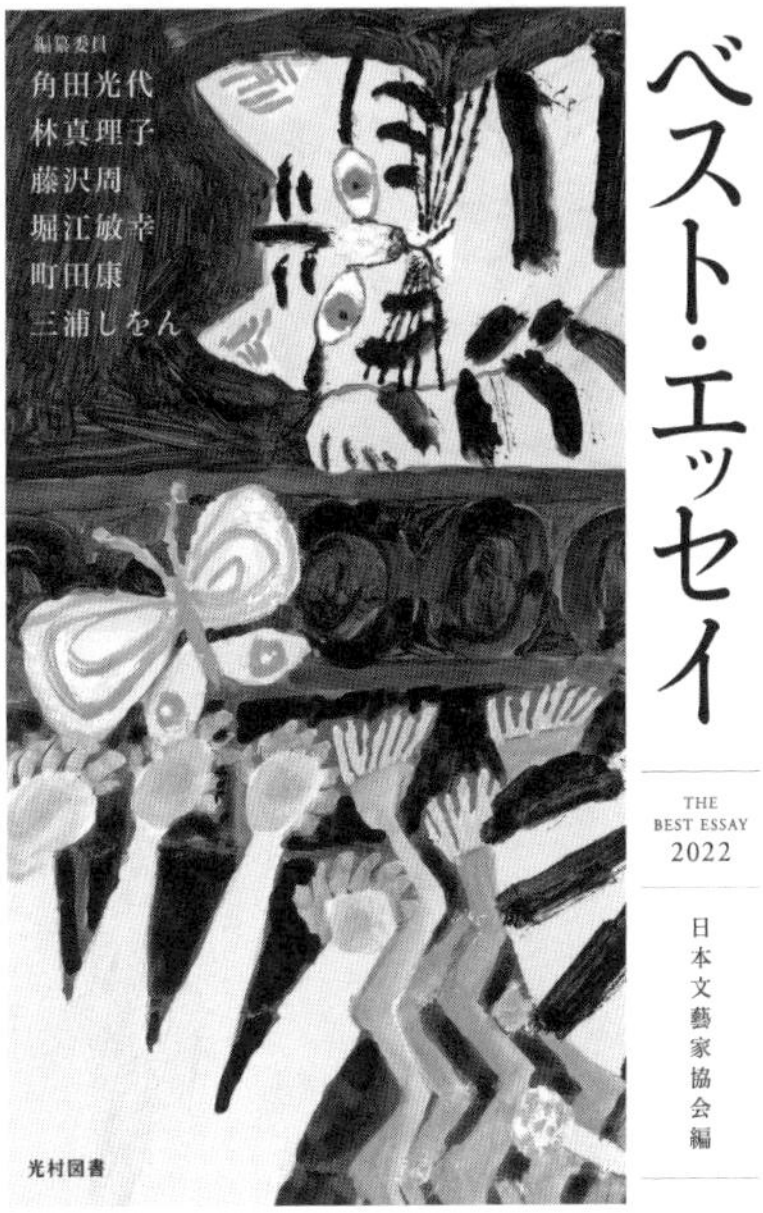

定価2,200円（本体2,000円）⑩ ISBN 978-4-8138-0414-7

カバー画：ミロコマチコ

◉掲載作家

青木耕平
青山文平
彬子女王
井上理津子
岩松 了
宇佐見りん
内田洋子
海猫沢めろん
大矢鞆音

小川さやか
奥本大三郎
尾崎世界観
尾上松緑
小山田浩子
温又柔
角田光代
加納愛子
川上容子

川本三郎
神林長平
岸田奈美
岸本佐知子
金田一秀穂
倉本聰
黒井千次
小池水音
小泉武夫
小泉 凡
齋藤陽道
酒井順子
佐倉 統
佐々涼子
沢木耕太郎
椹木野衣
茂山千之丞
柴田一成
志茂田景樹
鈴木 聡
鈴木忠平
瀬尾夏美
髙樹のぶ子

髙見 浩
髙村 薫
武田砂鉄
田中卓志
田中優子
谷 慶子
辻 真先
夏井いつき
二宮敦人
林 真理子
原田宗典
藤沢 周
ブレイディみかこ
ほしよりこ
星野博美
堀江敏幸
万城目学
町田 康
松浦寿輝
松本 猛
マライ・メントライン
みうらじゅん
三浦しをん

三浦雅士
村井理子
村田喜代子
本谷有希子
柳田邦男
山本貴光
湯澤規子
横尾忠則
李琴峰
寮 美千子
鷲田清一

ベスト・エッセイ 2021

THE BEST ESSAY 2021

定価1,980円（本体1,800円）⑩　ISBN 978-4-8138-0370-6

カバー画：げみ

◉掲載作家

青木奈緒
彬子女王
秋山 仁
朝倉かすみ
浅田次郎
荒俣 宏
伊藤亜紗
伊藤一彦
伊藤比呂美

井上荒野
岩阪恵子
岩松 了
宇佐見りん
おーなり由子
大森静佳
岡田暁生
岡村 隆
小佐野 彈

小山田浩子
角田光代
角幡唯介
柏木 博
岸田奈美
岸本佐知子
北大路公子
金田一秀穂
黒井千次
小池昌代
小池真理子
小暮夕紀子
西条 昇
最相葉月
佐伯一麦
佐伯啓思
酒井順子
佐々木 閑
佐藤雅彦
重松 清
島田雅彦
瀬戸内寂聴
高瀬隼子

俵 万智
旦 敬介
月村了衛
出久根達郎
遠野 遥
中江有里
長嶋 有
永田 紅
林 真理子
久田 恵
平岩弓枝
広瀬浩二郎
ふくだももこ
藤沢 周
藤田祐樹
藤原正彦
ブレイディみかこ
保阪正康
星野智幸
穂村 弘
堀江敏幸
堀川惠子
町田 康

丸尾 聡
三浦しをん
宮内勝典
宮沢章夫
宮田珠己
村田喜代子
森 まゆみ
矢作俊彦
ヤマザキマリ
山﨑修平
横尾忠則
吉田篤弘
鷲田清一